拙者はセツデン侍と申す
電気の大切さを説きながら
全国を旅しているもの
オジサン
誰っ!?
失礼いたす!!
バーン!
ぎゃーっ!!
早速でござるが
電気のムダ使いをしているのは
息子さんではなく、あなたですぞ！
ええ〜っ！
どうして
ですか〜!?
節電の心得は、ただひとつ!
電気には、電気にしか
できないことを
お願いするべし
これこそが
賢者の節電でござる！
テレビやスマホの電力消費など
電気ポットや炊飯器に比べれば
カワイイもの……
しかし、あなたのように
熱エネルギーから作った電気を
再び熱エネルギーに戻すのは
ムダ使いの極致なのでござる！
スマホ
TV
ひえ〜っ！
じゃあ
どうすれば
いいの〜？

【INTRO】はじめに

「電気には、電気にしかできないことをお願いする」これが電気代高騰に負けない「賢者の節電」の鉄則です！

大手電力会社（旧一般電気事業者）は、令和5年4～6月からの電気料金の大幅な値上げを経済産業省に申請しました。現時点では、国による審議中ではありますが、その値上げ幅は約28～45％程度とされていて、消費者にとっては痛みがともなう、明確に「高い！」と実感されるものとなりそうです。

しかし、電気代高騰を告げるニュースを目にしても、私自身にはまったく響きません。なぜなら、私にはまったく無関係のニュースだからです。

私の家では、電力会社から1ワットの電気も買っていません。いわゆる「オフグリッド」と呼ばれるもので、私の家は電力会社の送電網に一切つながっていないのです。

『使う電気は、すべて自分でつくる』

いわば、我が家は「小さな発電所」なのです。

私の家で使用する電気は、100%太陽光発電によって生み出しています。

しかし、**大切なことは、太陽光発電などの再生可能エネルギーに頼ることではありません。**

電気代高騰に負けないために、最も重要なことは「節電」に他ならないのです。

実際、現代人は電気をムダに使い過ぎています。

このことに気づき、改めない限り、これからくり返されるであろう電気代再値上げのニュースに怯えながら生きていくことになるでしょう。


電気は、素晴らしいエネルギーです。

しかし、あとでくわしく解説しますが、**電気は膨大なエネルギーロスの犠牲の上に生み出されている「最高級のエネルギー」**であることを忘れてはいけません。

講演会に招かれてお話をするときに、私がくり返し口にする言葉があります。それは、

「電気には、電気にしかできないことをお願いする」

ということです。**生活に必要なエネルギーをすべて電気に頼るのは大きな間違い**なのです。

本書では、電力会社に勤務していた時代を含めて、数十年にわたって電気をつくり続けてきた私の経験を生かし、電気代高騰に負けない節電術を読者のみなさんに伝授します。

私は「セツデン侍」と化して、「賢者の節電」を説いてまいります。

セツデン侍こと　木村　俊雄

〔CONTENTS〕目次

みんなの節電生活　実践編　25

[PRACTICE] 節電チャレンジ

みんなの節電生活

【LECTURE】座学編

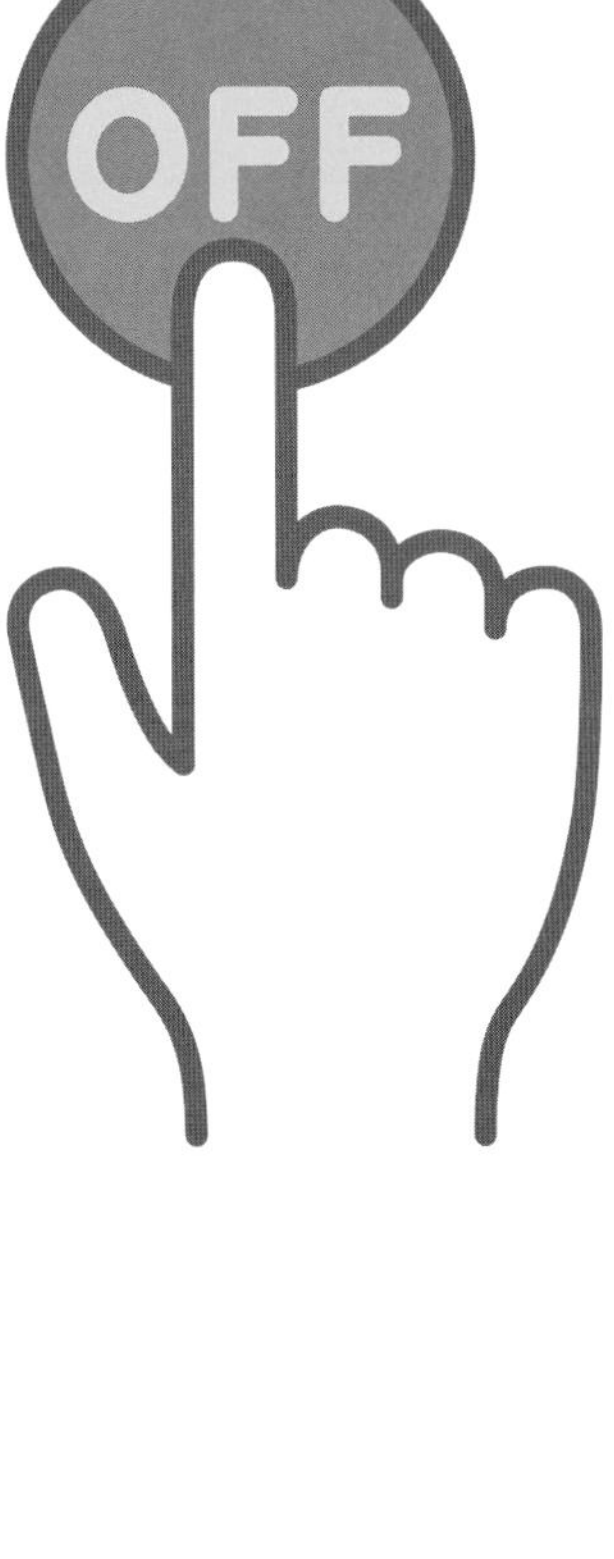

【PROFILE】電気を知り尽くした男　セツデン侍・木村俊雄とは？

セツデン侍こと
木村俊雄は
秋田県に生まれ
秋田県
オギャー!!
原発建設の好景気に沸く
福島県双葉町で
少年時代をおくった。
小学生から野球に熱中し
中学1年生から4番バッター。
強豪校からのスカウトもあり
甲子園を夢見ていたが……
母子家庭で裕福では
なかったため、母への親孝行に
なると思い、野球推薦を諦めて
東電学園に進学した
全寮制の東電学園では
3年間エンジニアとしての
知識や技術を叩き込まれ
卒業すると東京電力に入社。
福島第一原子力発電所に
配属されることとなった
福島第一原発では
能力を高く買われ、燃料を
安全かつ効率よく燃焼させる
「炉心設計」という花形の
仕事を任されるようになる
炉心設計

しかし、原発で働くうちに
その危険性を確信し、退社。
反原発を訴え、福島第一原発の
津波による事故を
雑誌上で予言する
危険！
東日本大震災が発生し、
その予言が的中してしまう。
国内外メディアに注目され
テレビの報道番組や新聞、
雑誌などで取り上げられる
東日本大震災の直後に
福島県から高知県へと移住し、
エネルギー問題を解決するための
生活術を実践する生活をおくる。
独自の太陽光発電システムを構築し
完全なオフグリッドとなる。
さらに自ら薪《まき》を作り、
薪ストーブなど直火を駆使した
生活を続けている
また自らが「小さな電力会社」と
なり、希望する家庭に
独自の太陽光発電システムを
設置することを生業にしながら
太陽光
発電
システム
電気を知り尽くした男
木村俊雄は
「セツデン侍」として
電気エネルギーの大切さや
節電のノウハウを
説き続けるのであった

OFF 電気代高騰の原因を知っておこう

まず、令和5年に予定されている電気料金の値上げの原因について押さえておきます。

電気料金とは、**①基本料金**、**②電力量料金**、**③燃料調達額**、**④再生可能エネルギー発電促進賦課金**の4項目を合算したものです。このうちの③燃料調達額は、その名のとおり発電するための燃料費に対する項目で、電力会社の燃料の仕入れ額によって増減します。

近年、世界は脱炭素社会化へと舵《かじ》を切り、火力発電の燃料となるLNG（液化天然ガス）、石炭、石油などの**化石燃料の供給量が減少**し、その価格は高騰の一途を辿っています。

さらに**ウクライナ情勢の緊迫化**が拍車をかけた結果、電気料金を構成する燃料調達額が大幅に膨れ上がったことが今回の値上げの最大の原因となっていると考えられます。

また、電力小売事業者が一般送配電事業者（旧一般電気事業者である大手電力会社）に支払う「託送《たくそう》料金（送配電網の利用料）」が値上げされる動きもあり、そうなれば電気料金は、さらなる値上げを余儀なくされると推測されます。

左ページのグラフのとおり、近年の日本の電源構成の76％は火力発電であるため、**化石燃料価格の高騰による影響が甚大なものになる**のは当然といえるでしょう。

日本の電源構成（令和2年度）

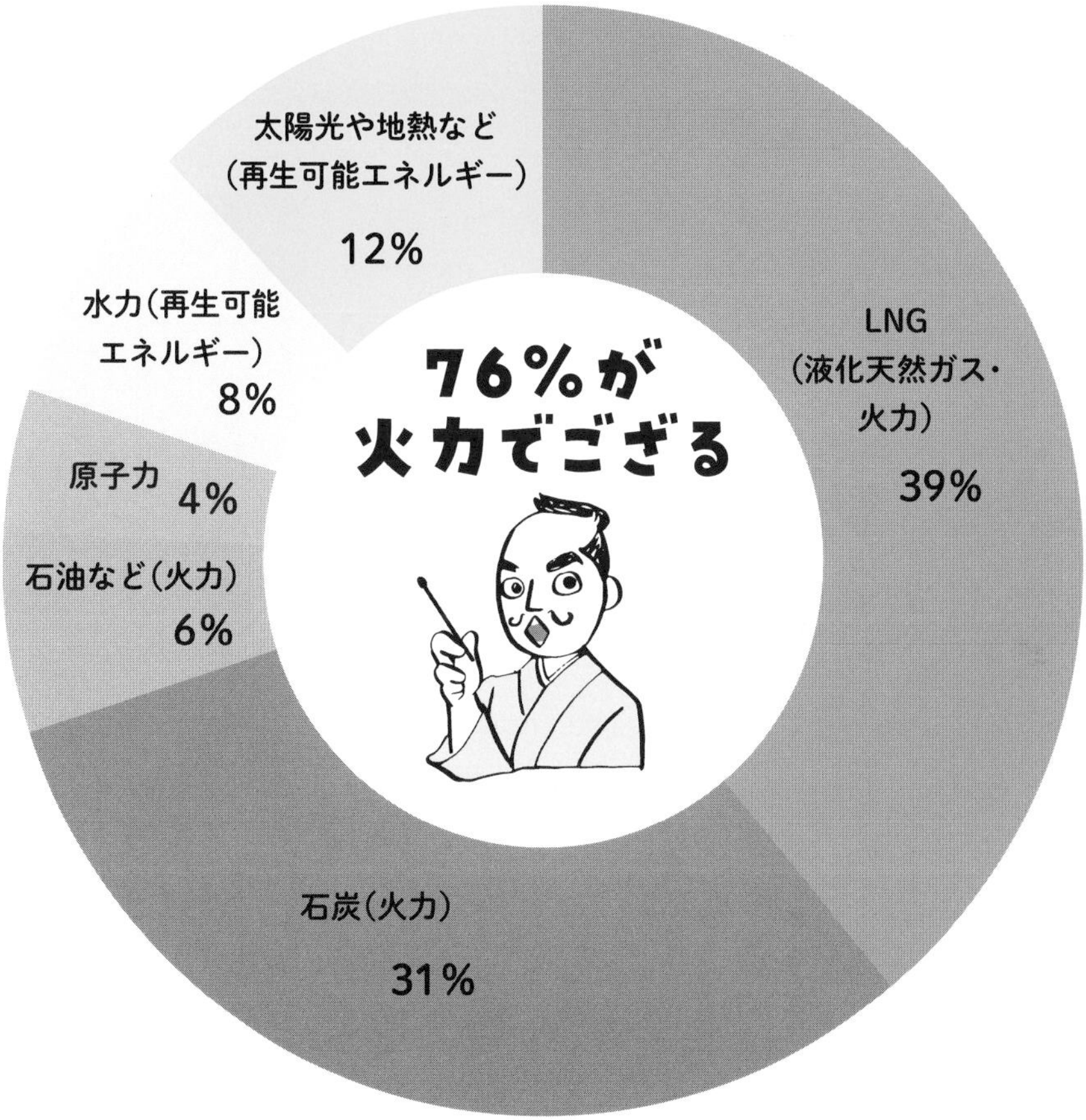

出典：資源エネルギー庁「総合エネルギー統計」を参考に作成

OFF

電気は「最高級のエネルギー」！

冒頭で、電気が「最高級のエネルギー」であることを忘れてはいけないと記しましたが、その理由は、**電気を生産するときには膨大なエネルギーロスが発生する**からです。

左ページの図を見てください。日本の電源構成の76％（令和2年度データ）を占める火力発電では、LNG（液化天然ガス）や石炭、石油などの化石燃料を燃焼させた熱エネルギーを利用して発電しますが、このときに廃熱という形で60％ものエネルギーロスが発生します。さらに送電する際にも5％のエネルギーロスが発生するため、実際に使うことのできる有効エネルギーは、たったの35％しかありません。

つまり、実に65％ものエネルギーロスという犠牲を払って、電気は生産されているのです。

電気は「最高級のエネルギー」であると私が言うゆえんは、まさにこの一点にあります。

比較して、ガスは燃料となるLPG（液化石油ガス）やLNG（液化天然ガス）を、プロパンガスのような液体の場合はガスボンベに、都市ガスのような気体の場合はガス管にて、各家庭に搬送し、そのまま利用できるため、エネルギーロスはほとんど発生しません。

つまり、**電気とガスを同じ価値のエネルギーと考えてはいけない**ということです。

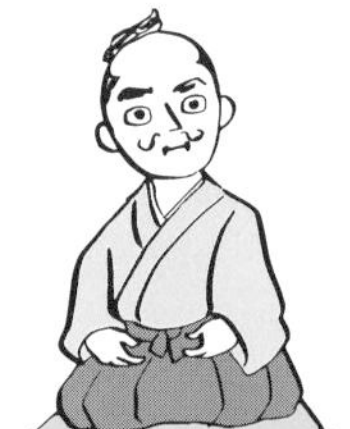

電気は膨大なエネルギーロスをともなう

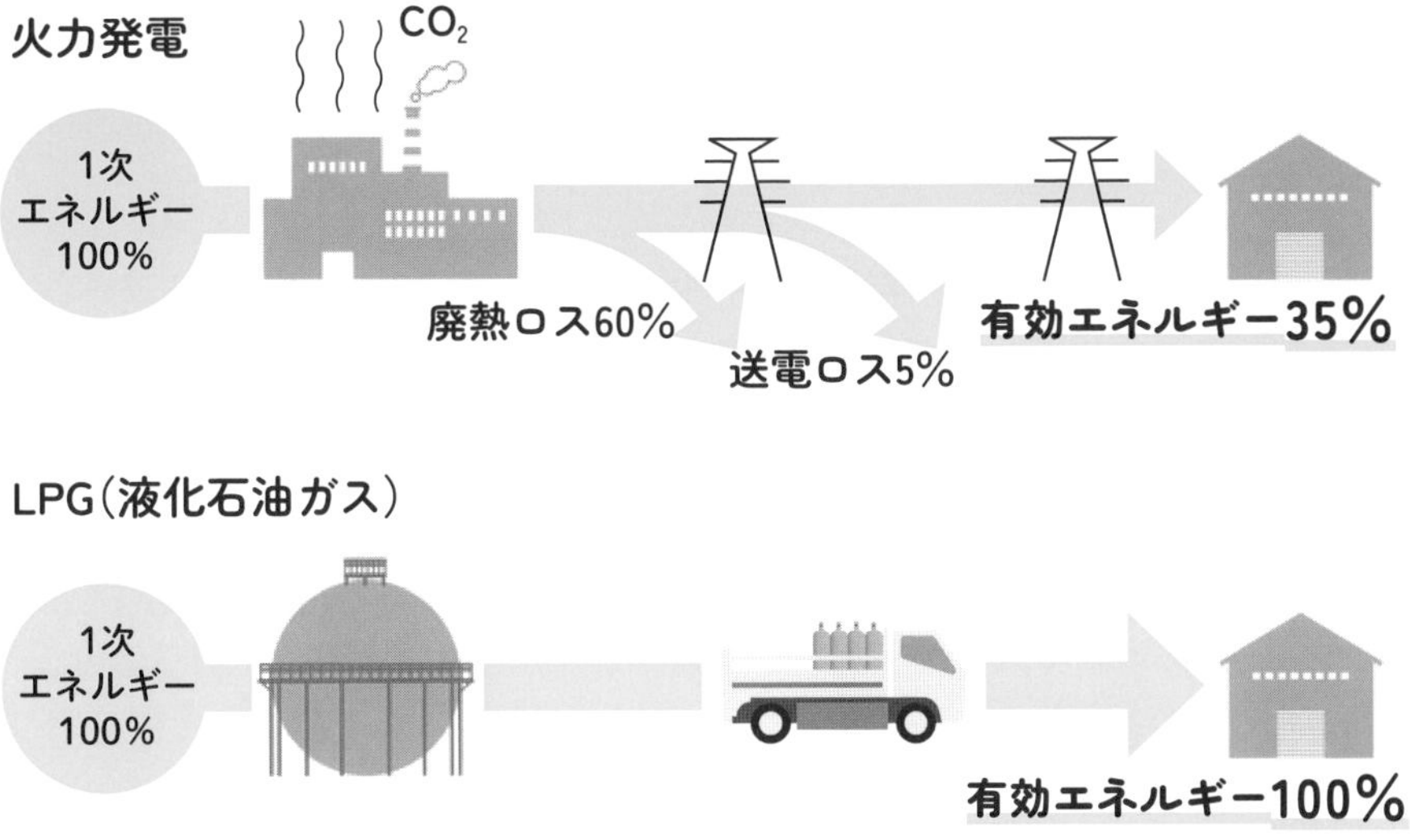

出典：資源エネルギー庁 電気・ガス事業部「コージェネレーションの導入事例」等を参考に作成

電気は、
65%という膨大な
エネルギーロス＝犠牲を
払ってつくられる
「最高級の
エネルギー」
なのでござる！

OFF

電気を「熱に戻す」のはやめよう

火力発電所や原子力発電所では、燃料を燃やして得た熱エネルギーでボイラーの湯を沸かし、蒸気でタービンを回転させ、その運動エネルギーによって発電、電気エネルギーを得ます。

前述のとおり、その過程において廃熱として60％、送電時に5％、合計して65％ものエネルギーロスが発生します。この**膨大なエネルギーロスを犠牲にして生産される「最高級のエネルギー」である電気を、再び熱エネルギーに戻してしまうような使い方は、エネルギー効率が悪過ぎる**と言わざるを得ません。

たとえば、電気ポットです。発電所で湯を沸かして得た熱エネルギーを、65％も犠牲にしてつくった「最高級のエネルギー」である電気を使って、再び電気ポットで湯を沸かす……いかに電気をムダにしているか、一目瞭然ではないでしょうか。

また、困ったことに**電気を熱に変える電化製品は、総じて消費電力が大きい**のです。平均的な電気ポットの消費電力は、湯沸かし時は約1000ワット、保温時は約35ワットです。電気代高騰に負けない「賢者の節電」を実践するのであれば、まず**電気を「熱に戻す」のは、絶対的なタブーである**と肝に銘じなければなりません。

電気を「熱に戻す」のはエネルギー効率が悪い

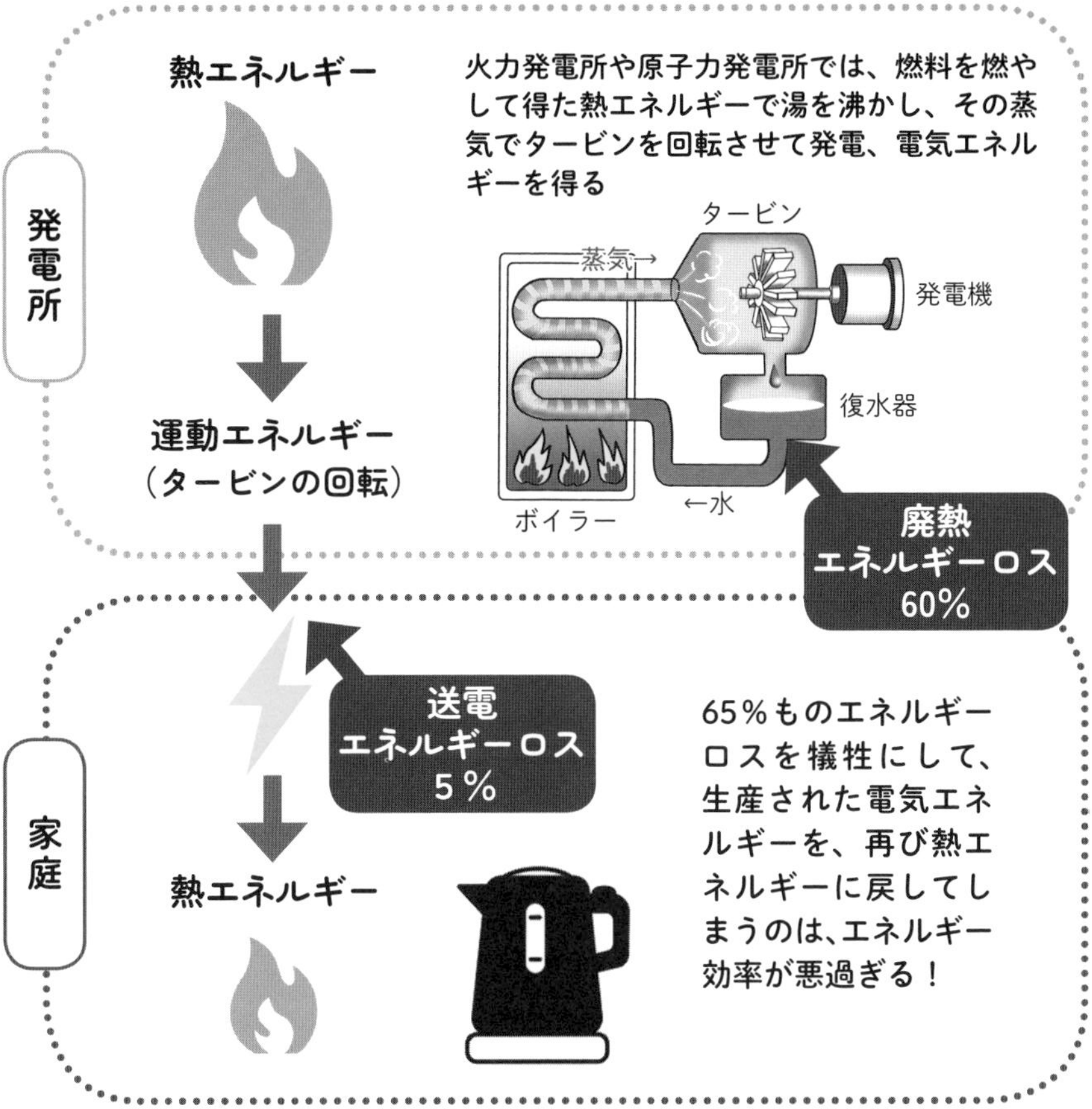
発電所
熱エネルギー
運動エネルギー
（タービンの回転）
火力発電所や原子力発電所では、燃料を燃やして得た熱エネルギーで湯を沸かし、その蒸気でタービンを回転させて発電、電気エネルギーを得る
タービン
蒸気→
発電機
復水器
ボイラー
←水
廃熱
エネルギーロス
60%
家庭
送電
エネルギーロス
5%
熱エネルギー
65%ものエネルギーロスを犠牲にして、生産された電気エネルギーを、再び熱エネルギーに戻してしまうのは、エネルギー効率が悪過ぎる！

熱からつくった電気を
再び熱に戻すなど、
笑止千万
でござる！

OFF

電気のベストな使い道は「明かり」！

まえがきでも記しましたが、電気代高騰に負けない「賢者の節電」の鉄則は、

「電気には、電気にしかできないことをお願いする」

このことに尽きます。では、「電気にしかできないこと」とは何でしょうか？

第一の答えは、**電気がその実力を最も発揮する「明かり」**です。

イギリスのジョゼフ・スワンが発明し、アメリカのトーマス・エジソンが改良・普及させた白熱電球以前の明かりは、行灯《あんどん》やオイルランプなどの「火」そのものでした。火を使う明かりは、明るさの調整が難しいだけでなく、何より火災の危険が大きいものでした。

電気照明は、火と比べて火災に対する安全性が高く、明るさもコントロールしやすいのが、大きな利点です。さらに、この電気照明の進化によって、テレビやパソコン、スマートフォンなどのディスプレイが生まれたことも大きいでしょう。

また、**電気照明は、消費電力も比較的小さい**といえます。60ワット相当の明るさでいえば、白熱電球でも54ワット、LEDであれば6・5ワットに過ぎません。

つまり、明かりこそが、電気の使い方の真骨頂であるといえるでしょう。

電気にお願いしていいこと・よくないこと

電気にお願いすべきことの例

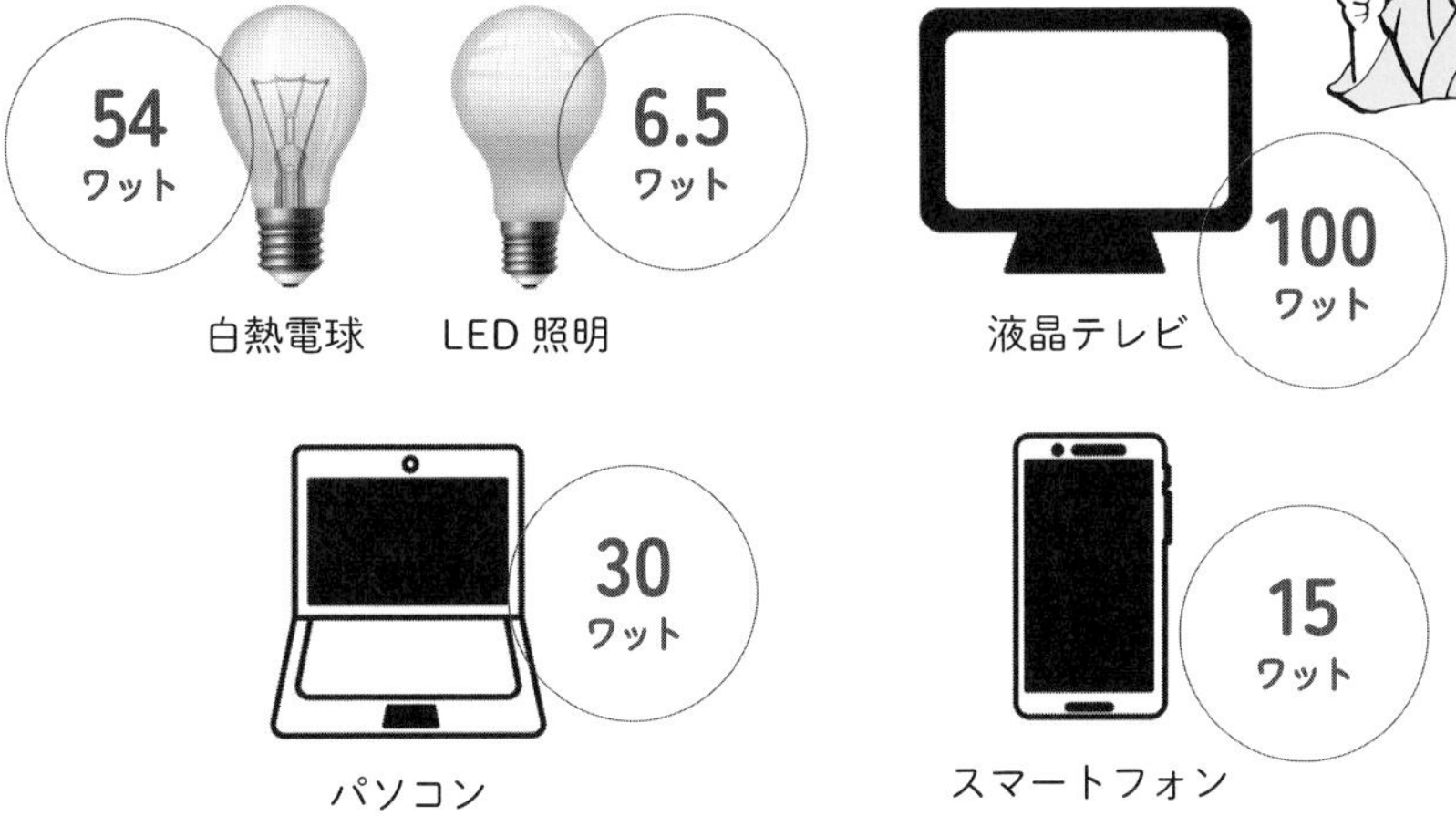

電気にお願いすべきでないことの例

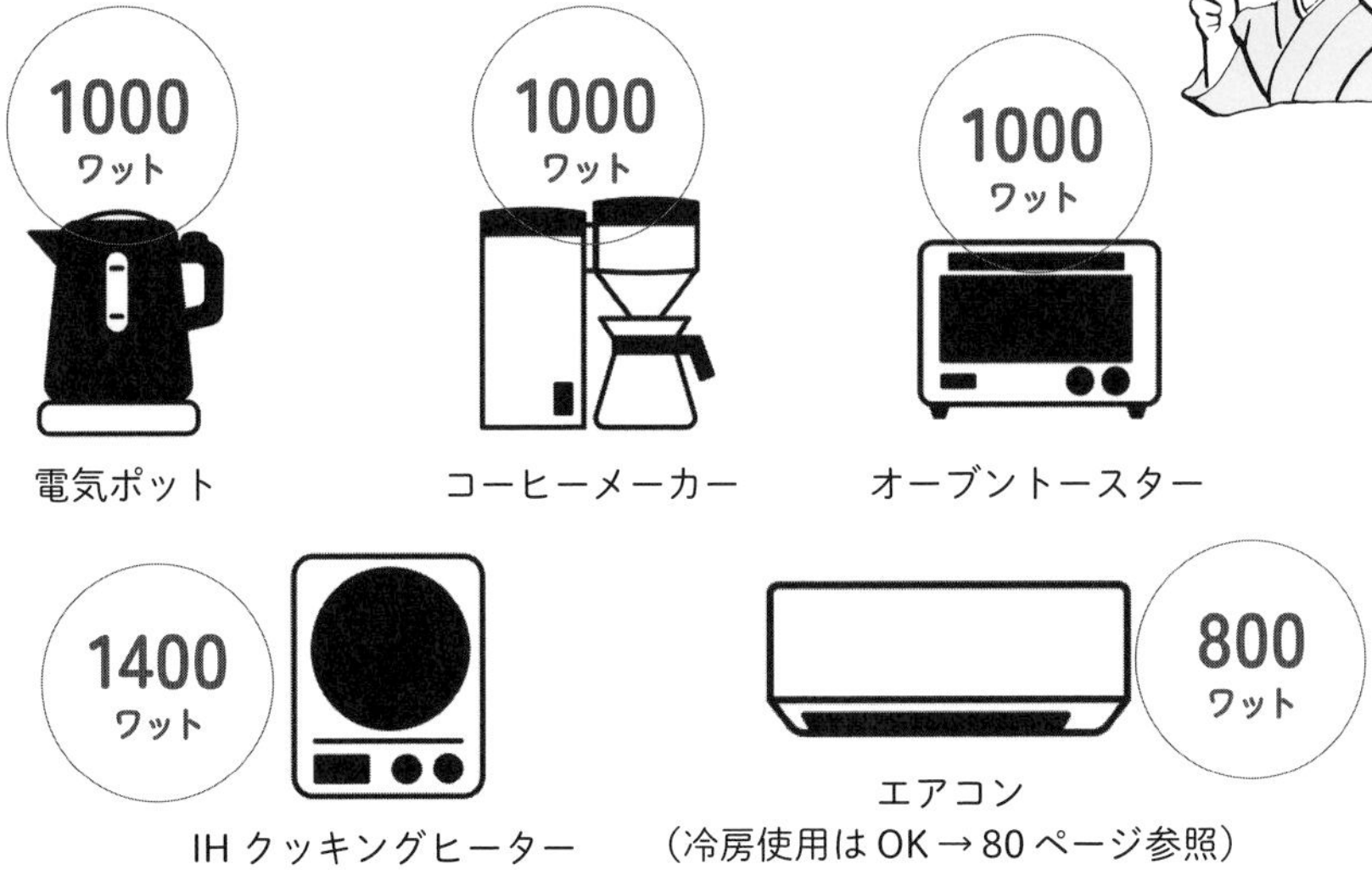

OFF

「再生可能エネルギー」の前に「省エネ」！

ここで少しエネルギー問題について考えてみましょう。まえがきでも触れたとおり、近年、世界は脱炭素社会化へと舵を切り、その結果、化石燃料の供給量は減少しつつあります。

日本に限っていえば、東日本大震災にともなう福島第一原子力発電所事故の影響により、電源構成の中の原発の割合が低下し、令和2年時点では、火力発電の占める割合が76％と高くなっています。脱炭素社会の話になると、すぐに原発再稼働の話を持ち出したり、再生可能エネルギーの拡充を口にしがちですが、それは少々短絡的だと言わざるを得ません。

エネルギー問題を考えるとき、最初に議論すべきことは常に「省エネ」なのです。つまり、電気でいえば「節電」ということになります。**節電について徹底的に議論し尽くすことなく、すぐに代替エネルギーの話を持ち出すのはナンセンス**なのです。

もちろん、再生可能エネルギーを拡充することは必要不可欠です。しかし、その実現には時間もお金もかかります。何よりムダに電力を垂れ流したまま、太陽光発電システムなどを取り入れても、結局すぐに電力不足に陥るのは火を見るよりも明らかです。

自らの生活様式を顧みて正すこと……それが「賢者の節電」の第一歩なのです。

エネルギー問題は「省エネ」から考えるべし

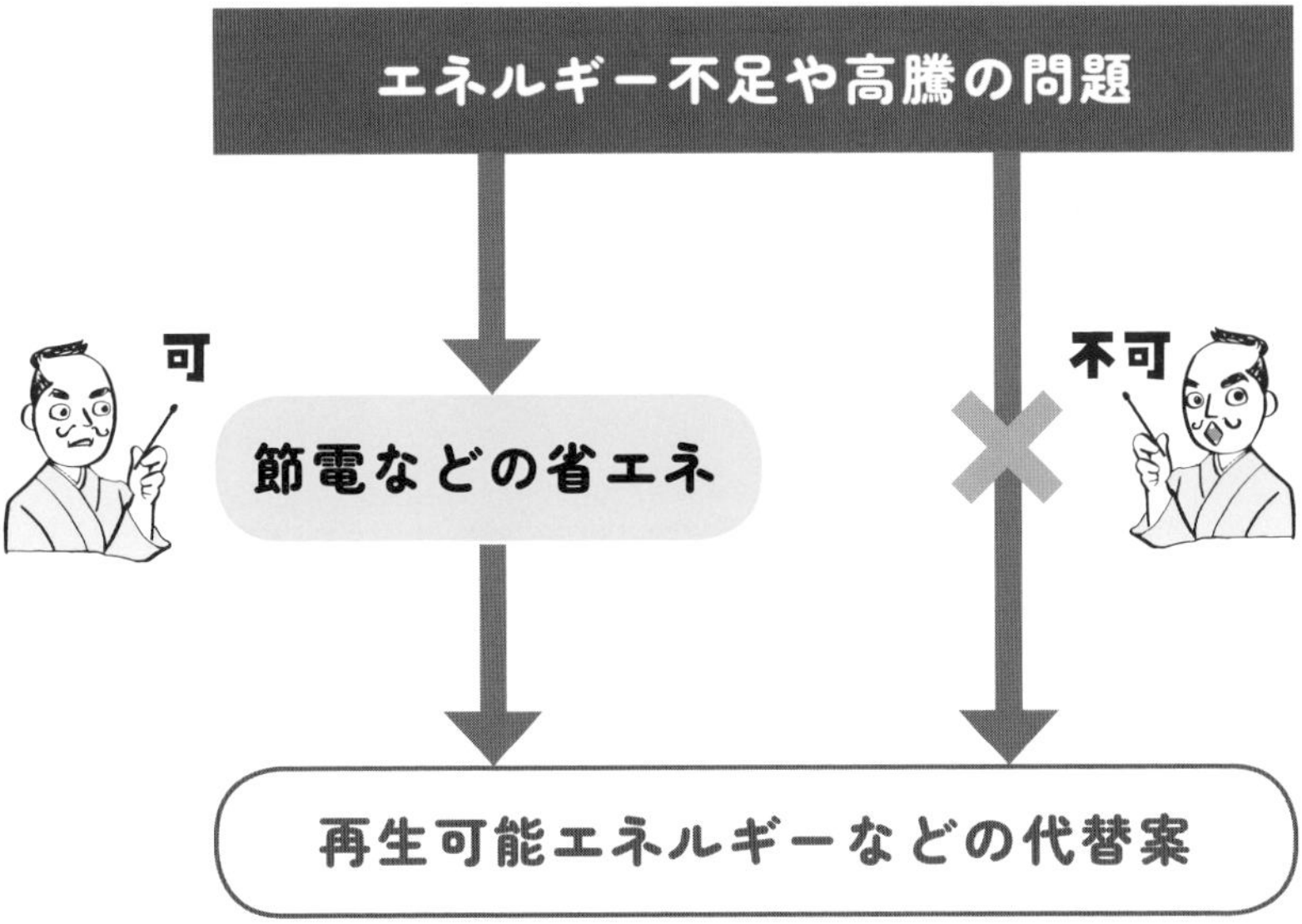

**エネルギー不足や
高騰の問題を
解決したければ、まず
「省エネ(節電)」
を考え、実践しないと！
代替エネルギーの話は、
その後の問題でござる！**

OFF

「生活をミニマムにスマート化」しよう

看板を掲げているわけではありませんが、常日頃の私は「キムラ電力（通称・キム電）」と称する小さな電力会社の経営者として、主に四国地方を中心に希望する顧客に個人用太陽光発電システムを設置する仕事を生業にしています。しかし、施主の家を訪問してすぐに設置するのではなく、まず居住する人々の生活スタイルを把握することから始めます。

もし、その生活スタイルの中に電気のムダ使いや効率の悪い使い方があれば、その問題を指摘し、改善してもらうのです。電力会社から買う電力は、代金を支払う限り無限に使えますが、自分でつくる電力には限りがあり、電気のムダ使いや垂れ流しをすれば、すぐに枯渇してしまうからです。つまり、**太陽光発電システムを設置する前に、現状の消費電力量をできるだけ圧縮してもらうことは極めて重要なこと**なのです。同じ太陽光発電とはいえ、メガソーラーの電力会社から買うのではなく、私のように自宅を「小さな発電所」にする生活では、電力を好きなだけ無尽蔵に使うわけにはいきません。

エネルギーは無限ではなく、有限であることを自覚して大切に使うマインドに開眼し、「生活をミニマムにスマート化」することこそが賢者の節電の基本精神なのです。

生活をミニマムにスマート化する

例えばこんな取り組みから…

消費電力を把握&圧縮する

待機電力を切る

電気を熱に戻さない

電気エネルギーは、
無限ではござらぬ。
まずは
「生活をミニマムに
スマート化」
することが
肝要でござる!

OFF

自分で電気をつくれば「電気のありがたみ」がわかる！

太陽光発電システムを設置した方々の家に、メンテナンス等で再訪させていただくことがよくあります。**電力会社から電気を買うのをやめて電力を自給するようになると、ほとんどの人が電気のムダ使いをしなくなり、大切に使うようになる**ものです。

あるご家庭では、照明のつけっ放しに気づいた子どもが食事中にも関わらず、「もったいないから……」といって2階に飛んで消しに行くようになったという話を聞きました。

私は電力の自給をよく家庭菜園に例えます。同じトマトでも、スーパーマーケットで買ったものと自分が家庭菜園で育てて収穫したものとでは、そこに生まれる愛情は段違いです。

自分が育てた野菜であれば、誰しも大切に、より美味しく食べようとするはずです。

なぜなら、そこには自ずと**「ありがたみ」**という宝物が輝いているからです。

たとえ、スマートフォンの充電ぐらいしかできない100ワット程度のミニマムな太陽光発電であっても、この「電気のありがたみ」を味わえるのであれば、そこには大きな意味があるのです。次章で紹介する節電のノウハウをひとつひとつチャレンジしていただき、ひとりでも多くの人が「電気のありがたみ」を実感できるようになれば幸福に思います。

みんなの
節電生活

【PRACTICE】

実践編

電気使用量削減目標25％

OFF

「電気ご使用量のお知らせ」を保管する

節電に対するモチベーションを保ち続けるコツは、2つあります。ひとつは、**実践している節電の効果を実感する**こと、ふたつめは、**節電を楽しむ**ことです。

節電の効果を実感し、それを楽しむために最も有効なことは、**電力会社が発行する「電気ご使用量のお知らせ」を確認する**ことです。この書類は一般的に「検針票」とも呼ばれますが、捨てないようにしてください。ぜひ、ファイリングして保管することをお勧めします。

過去のものと見比べることで、消費電力量や電力料金という目に見える数値で節電の効果を実感することができます。**1年以上保管すれば、前年の同月のものと見比べることができるため、より正確に節電の効果がわかるようになる**でしょう。左の検針票は、数年前から私の節電術を実践している知人宅の平成26年と平成27年の1月分を比較したものです。知人は夫婦ふたり暮らしですが、本書の初級編レベルの節電をいくつか実践しただけで、消費電力量は約23％も圧縮され、電気料金は約1000円も安くなりました。

また、将来的に私のようなオフグリッド生活を目指したい人であれば、「電力を買わなくても大丈夫！」という確信を得るために重要なデータとなるので、絶対保管してください。

「電気ご使用料のお知らせ」で節電効果を実感

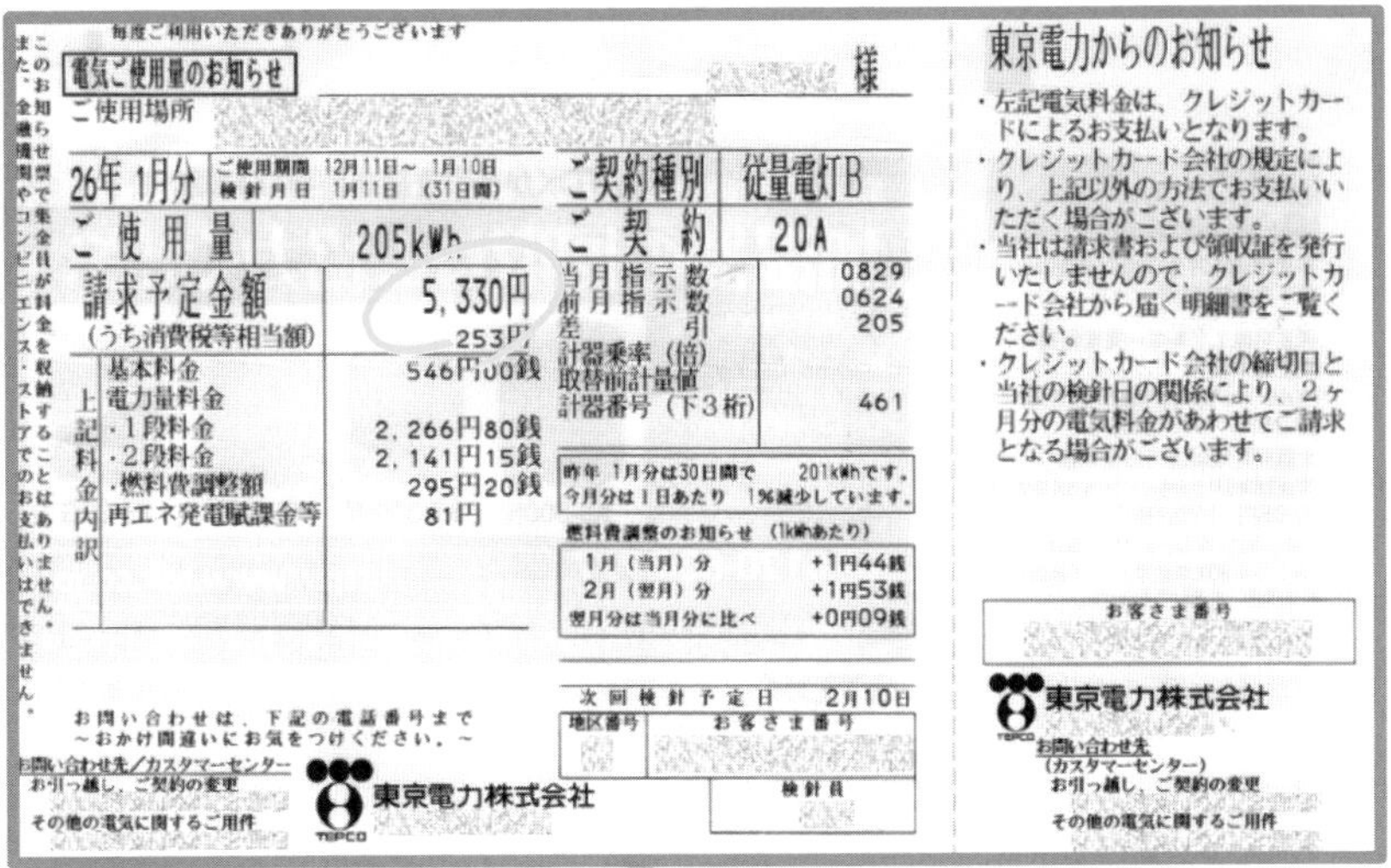

このお知らせ票で集金員が料金を収納することはありません。
また、金融機関やコンビニエンス・ストアでのお支払いはできません。

毎度ご利用いただきありがとうございます

電気ご使用量のお知らせ 様

ご使用場所

26年 1月分	ご使用期間 12月11日～ 1月10日 検針月日 1月11日 (31日間)	ご契約種別	従量電灯B
ご使用量	205kWh	ご契約	20A
請求予定金額	5,330円	当月指示数	0829
(うち消費税等相当額)	253円	前月指示数	0624
		差引	205

上記料金内訳	
基本料金	546円00銭
電力量料金	
・1段料金	2,266円80銭
・2段料金	2,141円15銭
・燃料費調整額	295円20銭
再エネ発電賦課金等	81円

計器乗率（倍）
取替前計量値
計器番号（下３桁） 461

昨年 1月分は30日間で 201kWhです。
今月分は１日あたり 1%減少しています。

燃料費調整のお知らせ（1kWhあたり）

1月（当月）分	+1円44銭
2月（翌月）分	+1円53銭
翌月分は当月分に比べ	+0円09銭

次回検針予定日 2月10日

地区番号 お客さま番号

検針員

お問い合わせは、下記の電話番号まで
～おかけ間違いにお気をつけください。～

お問い合わせ先／カスタマーセンター
お引っ越し、ご契約の変更
その他の電気に関するご用件

東京電力株式会社
TEPCO

東京電力からのお知らせ

・左記電気料金は、クレジットカードによるお支払いとなります。
・クレジットカード会社の規定により、上記以外の方法でお支払いいただく場合がございます。
・当社は請求書および領収証を発行いたしませんので、クレジットカード会社から届く明細書をご覧ください。
・クレジットカード会社の締切日と当社の検針日の関係により、２ヶ月分の電気料金があわせてご請求となる場合がございます。

お客さま番号

東京電力株式会社
TEPCO
お問い合わせ先
（カスタマーセンター）
お引っ越し、ご契約の変更
その他の電気に関するご用件

「節電チャレンジ」初級編だけで

約1000円安くなった実例

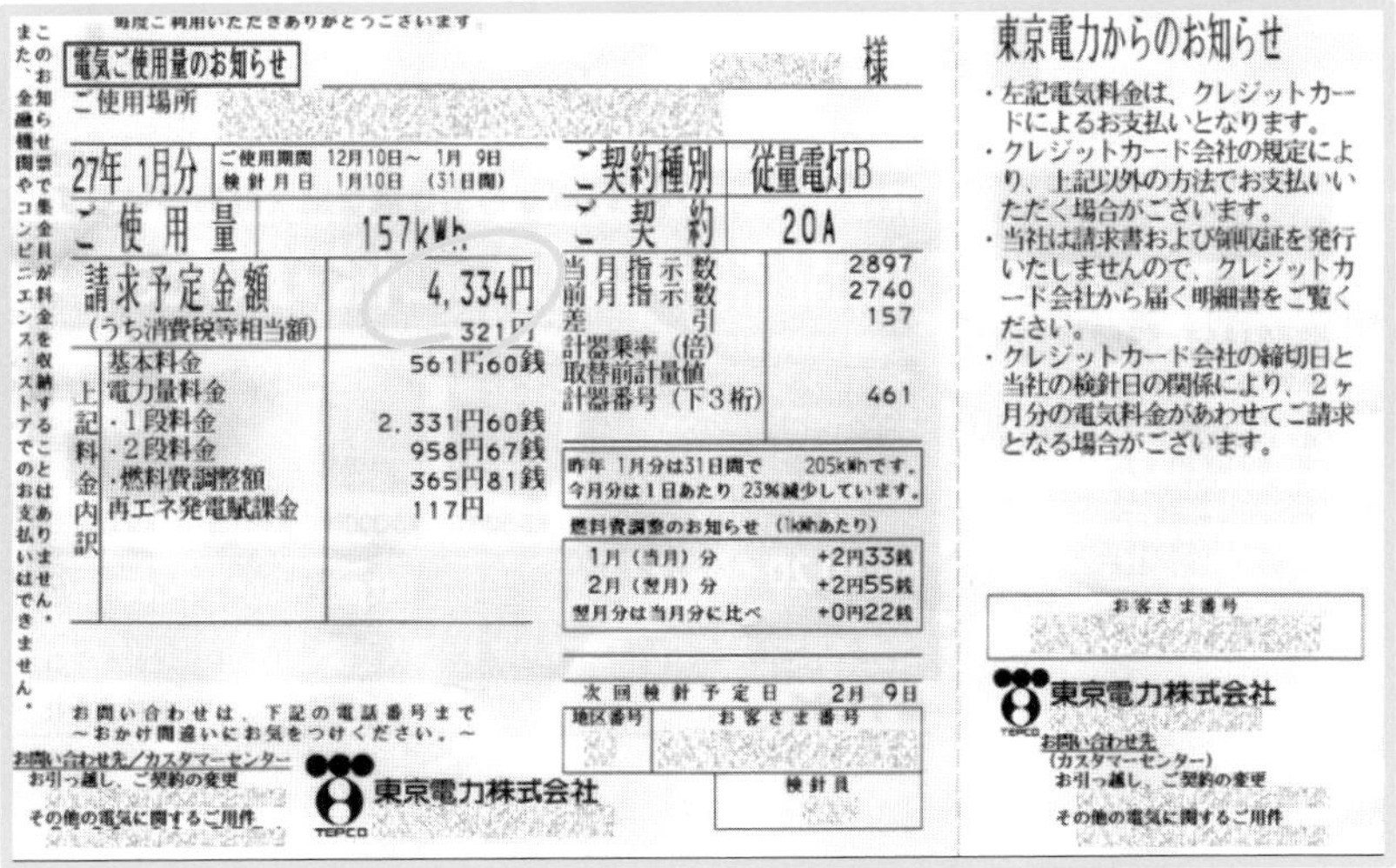

このお知らせ票で集金員が料金を収納することはありません。
また、金融機関やコンビニエンス・ストアでのお支払いはできません。

毎度ご利用いただきありがとうございます。

電気ご使用量のお知らせ 様

ご使用場所

27年 1月分	ご使用期間 12月10日～ 1月 9日 検針月日 1月10日 (31日間)	ご契約種別	従量電灯B
ご使用量	157kWh	ご契約	20A
請求予定金額	4,334円	当月指示数	2897
(うち消費税等相当額)	321円	前月指示数	2740
		差引	157

上記料金内訳	
基本料金	561円60銭
電力量料金	
・1段料金	2,331円60銭
・2段料金	958円67銭
・燃料費調整額	365円81銭
再エネ発電賦課金	117円

計器乗率（倍）
取替前計量値
計器番号（下３桁） 461

昨年 1月分は31日間で 205kWhです。
今月分は１日あたり 23%減少しています。

燃料費調整のお知らせ（1kWhあたり）

1月（当月）分	+2円33銭
2月（翌月）分	+2円55銭
翌月分は当月分に比べ	+0円22銭

次回検針予定日 2月 9日

地区番号 お客さま番号

検針員

お問い合わせは、下記の電話番号まで
～おかけ間違いにお気をつけください。～

お問い合わせ先／カスタマーセンター
お引っ越し、ご契約の変更
その他の電気に関するご用件

東京電力株式会社
TEPCO

東京電力からのお知らせ

・左記電気料金は、クレジットカードによるお支払いとなります。
・クレジットカード会社の規定により、上記以外の方法でお支払いいただく場合がございます。
・当社は請求書および領収証を発行いたしませんので、クレジットカード会社から届く明細書をご覧ください。
・クレジットカード会社の締切日と当社の検針日の関係により、２ヶ月分の電気料金があわせてご請求となる場合がございます。

お客さま番号

東京電力株式会社
TEPCO
お問い合わせ先
（カスタマーセンター）
お引っ越し、ご契約の変更
その他の電気に関するご用件

電気使用量削減目標25％

OFF

電力会社の「3段階料金制度」を知っておく

電力会社が設定している電気料金には、各家庭の電気の使用量に応じて「3段階料金制度」と呼ばれる、料金単価に次のような格差をつける制度があります。

第1段階＝「ナショナル・ミニマム」と呼ばれる最低生活水準を基本とした安い料金
第2段階＝標準的な家庭の1カ月の使用電力量を踏まえた平均的な料金
第3段階＝使用電力量が多い家庭に適用するやや割高な料金

ひと月の使用電力量が、第1段階は120キロワットアワー未満、第2段階は120キロワットアワー以上～300キロワットアワー以下、第3段階は301キロワットアワー以上というように、3段階にゾーン分けされているのです。つまり、たくさん使うと電気料金の単価が上がってしまうわけです。

現在、第3段階に達している家庭は第2段階以下を、第2段階に達している家庭は第1段階以下を目指して、ゲーム感覚で楽しみながら節電にとり組んでみてください。

電気代のしくみはこうなっている

3段階料金制度と料金値上げの関係

（東京電力管内の規制料金・従量電灯Bの場合）

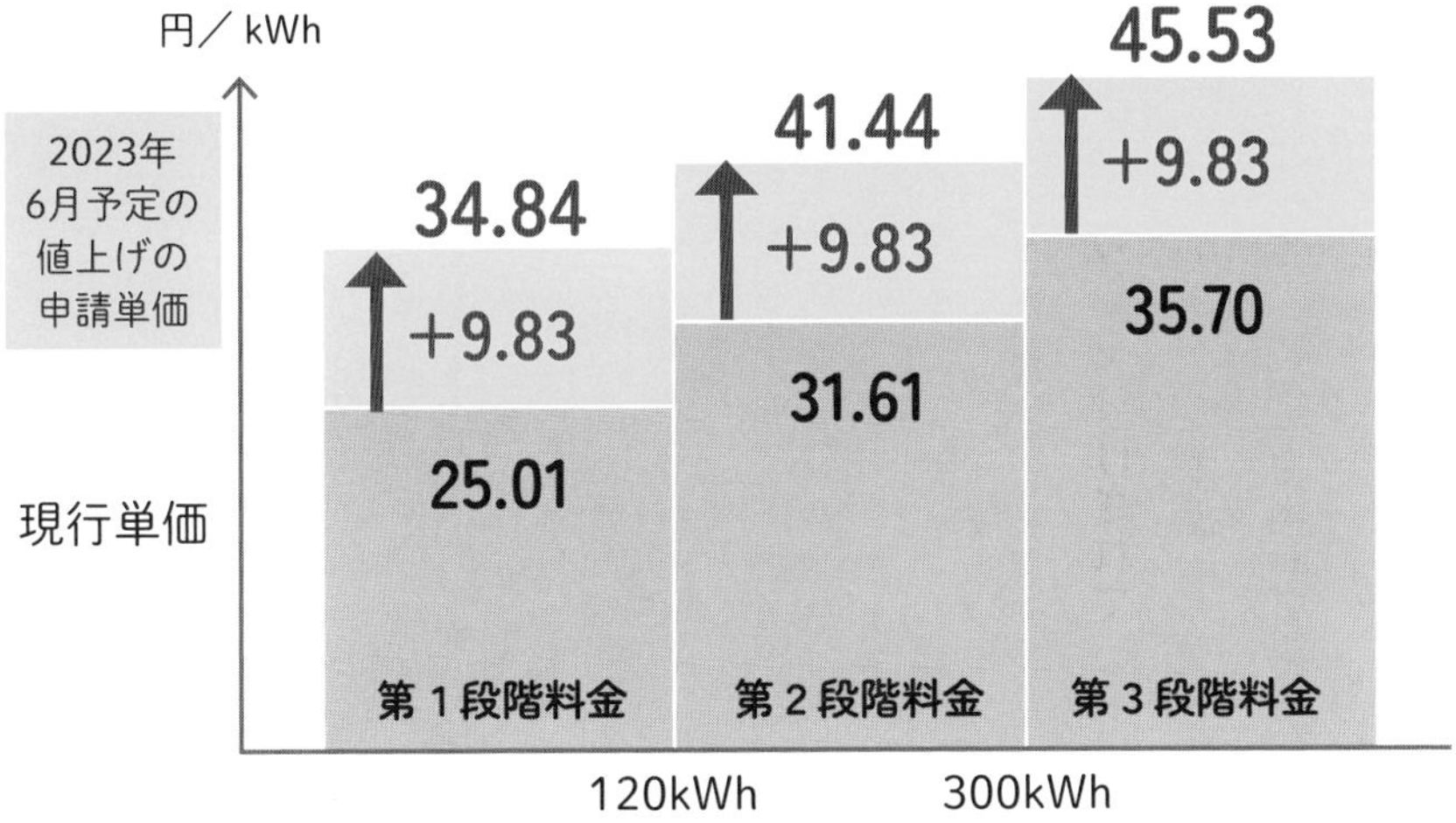

※現行単価には、2023年1月分の燃料費調整額(5.13円/kWh)を含む

※消費税等相当額を含む

※申請単価には2023年4月のレベニューキャップ制度の導入に伴う託送料金の見直し分は含まない。託送料金の見直し分を別途加算予定

出典：TEPCOホームページ「低圧の料金メニューの見直しについて ①電気料金単価の値上げ」内の図を参考に作成

上の図は「規制料金」プランの契約の場合でござる。

「自由料金」プランの場合は、値上げ幅は小さくなるが、燃料費調達額が電力会社の裁量で決まるため、総額は「規制料金」プランよりも高くなる可能性があり申す。

電気使用量削減目標 25%

OFF

観ていないテレビは主電源を切る

節電の第一歩は、ムダな電力の垂れ流しを止めることです。たとえ、消費電力の小さなものであっても、最高級のエネルギーである電気をムダに垂れ流してはいけません。

電気のプロとして、また小さな電力会社の経営者として、私は数多くのご家庭を訪問し、みなさんの電気の使い方を見てきました。その経験からいえば、残念ながら**ほぼすべての家庭でムダな電力が垂れ流しされている**と言わざるを得ません。

ムダな電力の垂れ流しの筆頭は、なんといっても**テレビ**です。テレビは、比較的省エネ化が進んでいる家電ですが、「誰も観ていないのに、なんとなくつけている」という非常にもったいない使われ方をされがちです。まず、**観ていないテレビは消すのが鉄則**です。

また、**長時間テレビを消す場合は、リモコンでOFFにするだけでなく、コンセントを抜いて主電源を落とす**ようにしましょう。テレビの待機電力は、型番の新旧やサイズによっても異なりますが、20ワット程度あるものも少なくありません。もちろん、録画機能のあるテレビで録画予約を入れている場合などは、主電源を落とさなくてOKです。

最高級のエネルギーを垂れ流しますか？

誰も観ていないのに
なんとなくテレビを
つけっぱなしにする……
みなさんも身に覚えが
ござらぬか？
比較的省エネ化が
進んでいるとはいえ、
本当にもったいない
ことでござる。
電気は65％もの
エネルギーロスを
犠牲にしてつくられる
最高級のエネルギーで
あることを
お忘れなきよう！

テレビの消費電力をご存じですか？

テレビをリモコンで
OFFにしただけでは
リモコンからの信号待機、
メモリや時計機能などで
待機電力を使うでござる。
型番の新旧やディスプレイ
サイズにもよるが、
待機電力だけで
20ワットを消費するものも。
この消費電力は、
眠っている間も
垂れ流され続けて
いるのでござる！
就寝時間を8時間とすると、
1日160ワットアワー、
30日では
4.5キロワットアワー、
1キロワットアワーあたり
34円で計算すれば、
1カ月で約170円が
ムダになるのでござる！

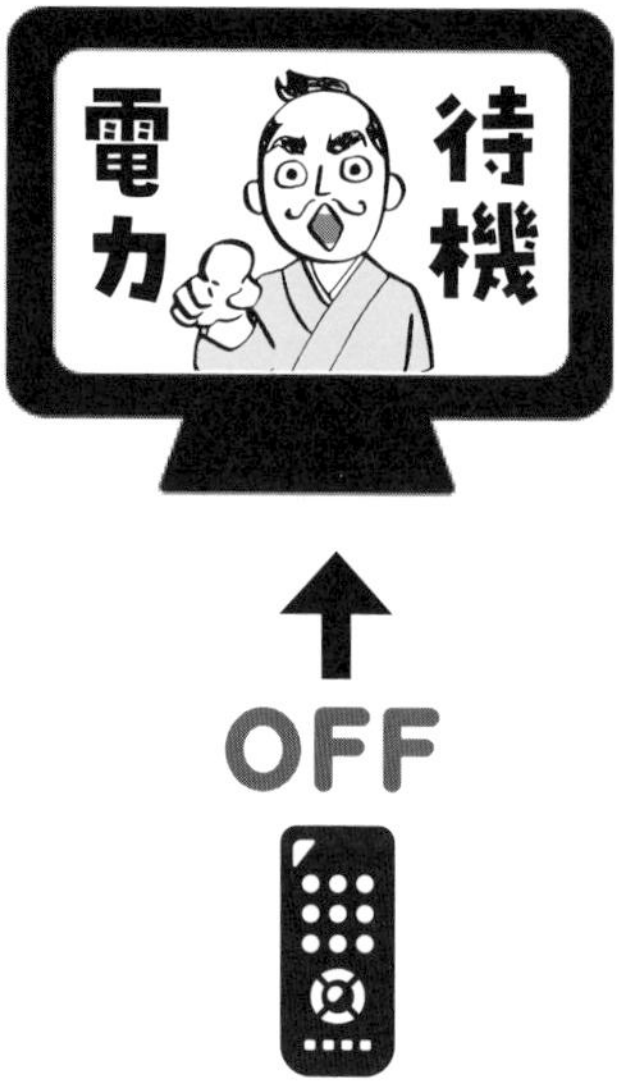

観ないときはコンセントを抜きましょう!

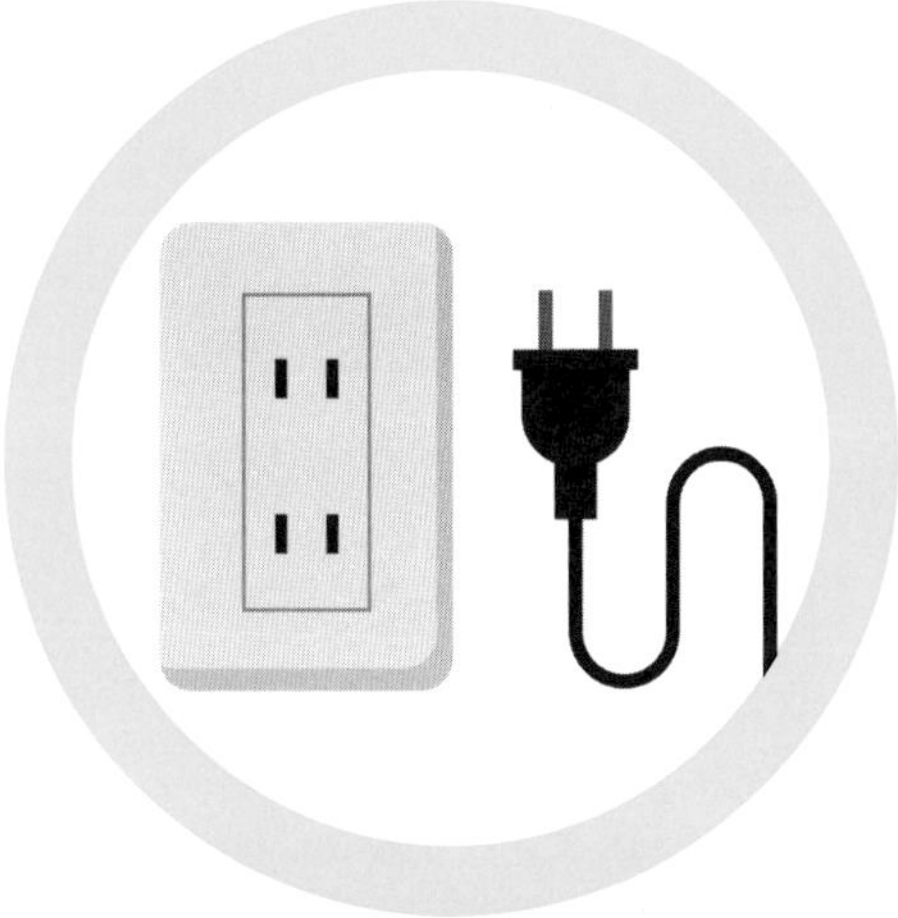

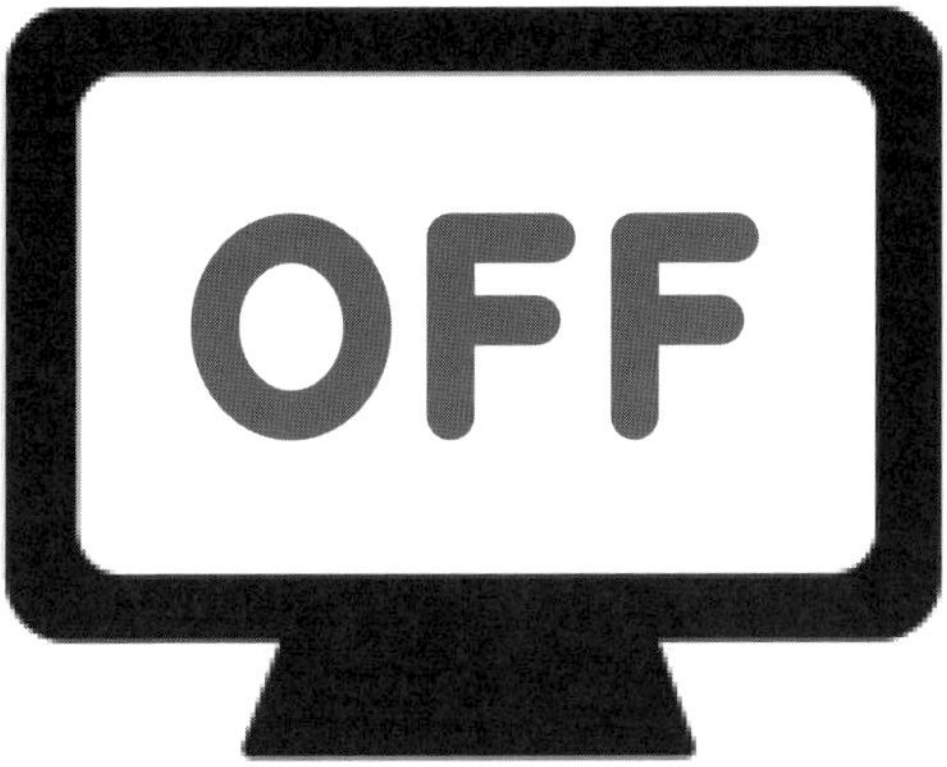

最新型の液晶テレビの中には、待機電力が 0.01 ～ 0.03 ワット程度のものもあります。主電源のオンオフによって、消費電力量が逆に増える場合もあるので注意しましょう。
正確な消費電力量は、62 ～ 65 ページで紹介しているワットチェッカーでお使いのテレビを計測してご確認ください

【PRACTICE】節電チャレンジ④日目［初級］

電気使用量削減目標25%

OFF 主電源を切ることができる家電を探す

待機電力をOFFにできる
家電製品は、
まだまだあるのでござる。
しばらく使わないとき、
夜間に眠っているとき、
外出中や旅行中など、
長時間使用しないときは……
主電源を斬《(切)》る！
ことをおすすめ申す

オフライン時のルーターはOFFに！

まず、インターネットを
使わないときの
ルーターは……
斬る！
ということで
差支えないのでは
ござらぬか？

シャワートイレのヒーターも！

夏場の就寝中などは、
シャワートイレの便座や
水を温めるヒーターも
斬る！
ことが可能で
ござろう？

他にも「斬れる」ものがあるかも…

ルーターやシャワートイレの
ヒーターの他にも、
電子レンジ、ゲーム機、
エアコン……などなど
主電源を斬る！ことが
できるものは、まだまだござろう。

たとえば、汚水をキレイにする
浄水層のブロワは、
拙者の知人が調査したところ、
24時間タイマーを設置して
15分毎にON／OFFを
切り替える設定にすることで、
1日12時間程度の稼働に
抑えても、浄水する微生物は
死ぬことなく、十分に水を
キレイにできるそうですぞ！

みなさんも身の回りで、他にも
主電源をOFFにできるものを
探してみてくだされ！！

OFF「節電タップ」を使う

節電チャレンジ3〜4日目において、長時間主電源を落とすときにはコンセントを抜くようにとお話ししました。その理由は、テレビなどの家電は、リモコンでOFFにするだけでは待機電力を消耗してしまうからですが、一日に何度もコンセントを抜き差しするのは、結構面倒なものです。そこでおすすめしたいのは、**「節電タップ」**の活用です。節電タップとは、延長コードの各コンセント部分に、個別にON／OFFを切り替えるためのスイッチがついたものです。3〜4日目の内容に従って、ご家庭でムダな待機電力を消耗する家電を見つけたら、それぞれ節電タップにつないでおけば、**長時間使わない家電のスイッチを随時OFFにするだけで不要な待機電力を節電できます**。

ただし、節電タップを利用する場合には、2つほど注意が必要です。ひとつは、別の電源タップを組み合わせて「たこ足配線」にすることで、多くの家電につなぎ過ぎないことです。多くのコンセントは、1カ所に2口でMAX1500ワットまで。それを超えると発火する危険があります。もうひとつは、コンセントとプラグの間にホコリがたまらないように、まめに掃除をする必要があることです。同じく火災の原因となるので注意しましょう。

節電タップで手軽に主電源を切る

コンセントの抜き差しを
くり返すのは
面倒なもの。

ぜひ、節電タップを
活用して、
手軽に主電源を
切る習慣を
身に着けてくだされ!

たこ足配線で多くの家電につなぎ過ぎない

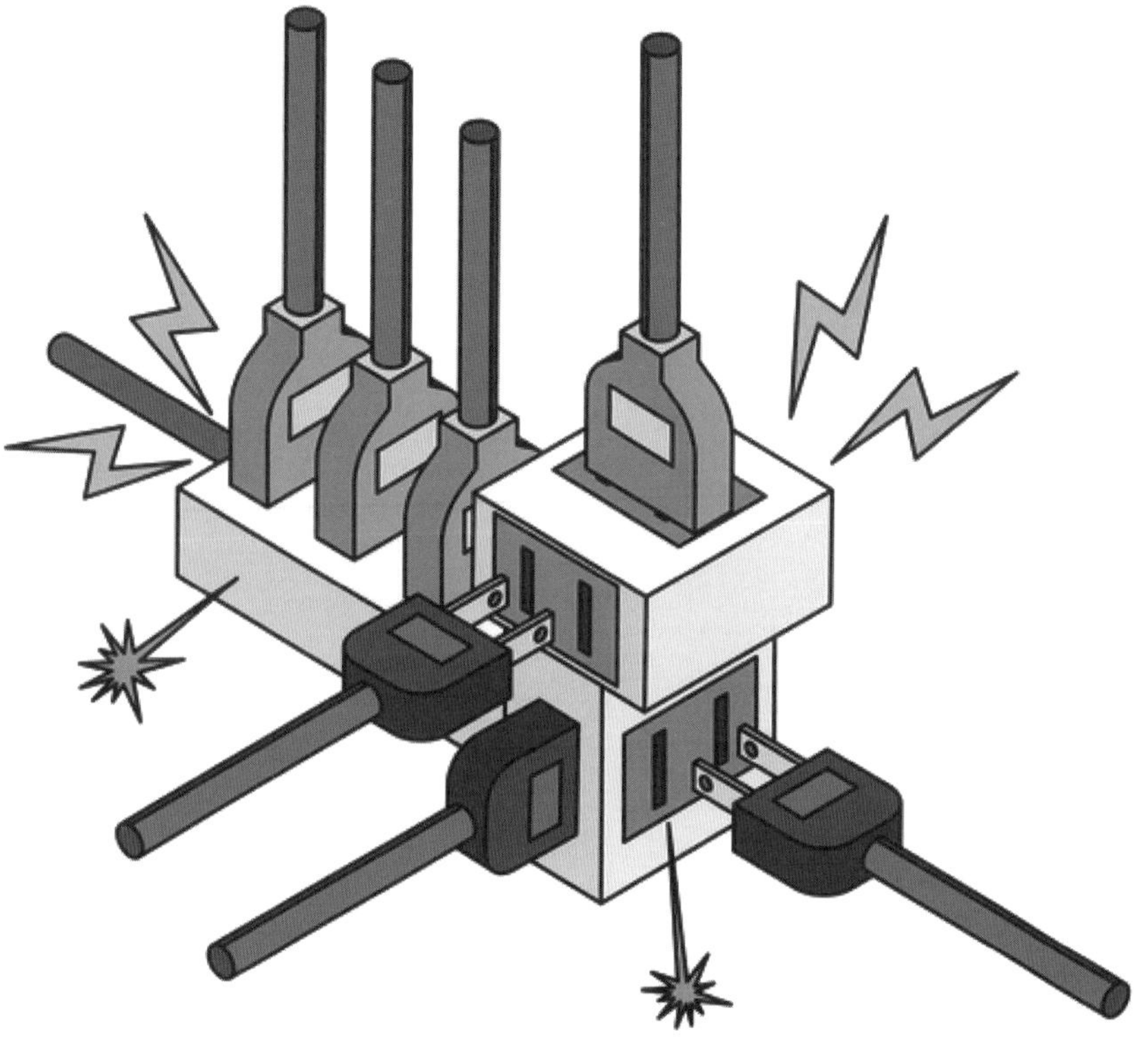

多くのコンセントは、
1カ所に2口で
MAX1500ワットまで。
それを超えると発火する
危険があるので注意！

コンセントとプラグの間のホコリに注意

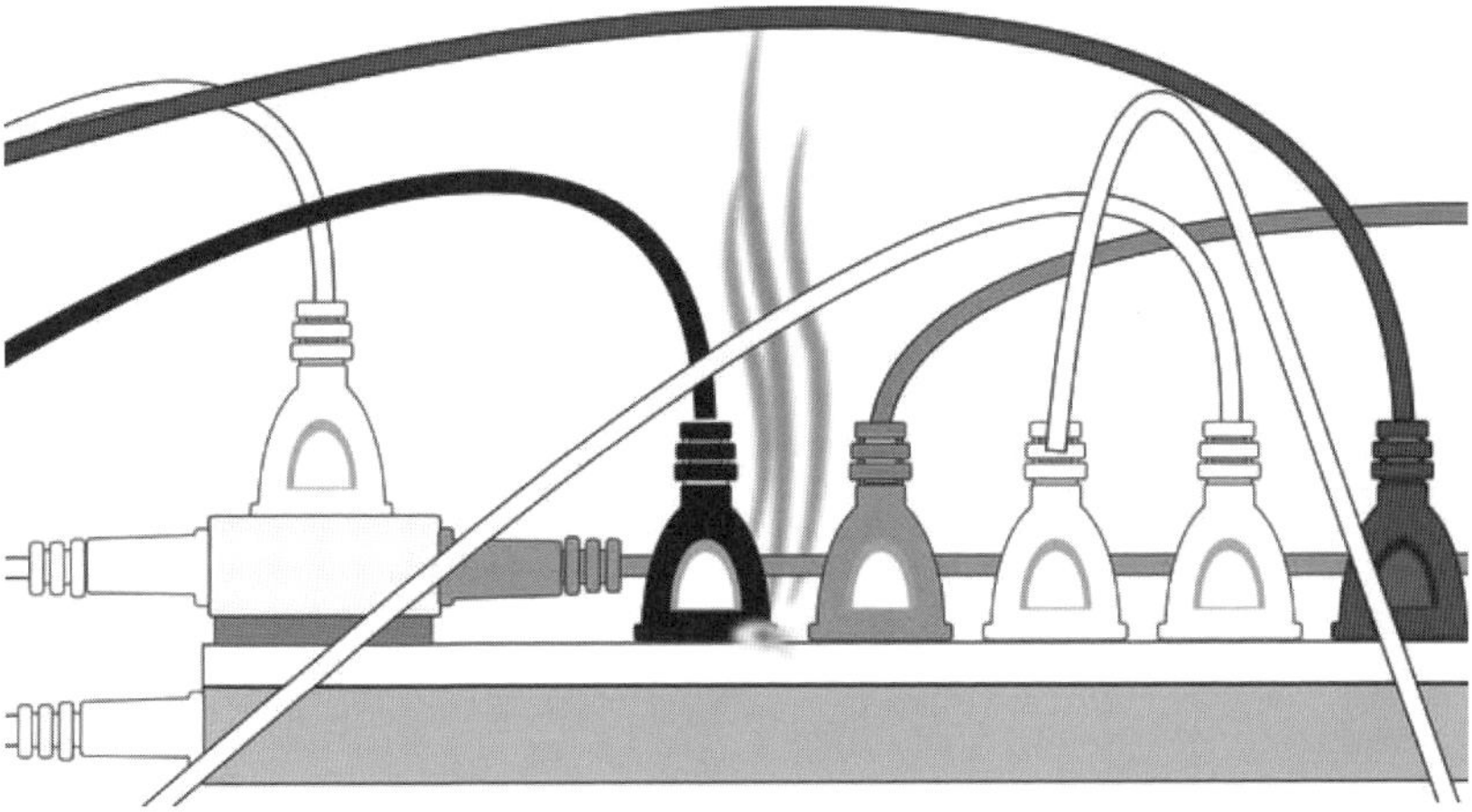

便利な節電タップも
使い方を間違えると
キケンでござる。
コンセントと
プラグの間に
ホコリがたまっても、
発火する恐れが
ありますぞ！

御用心！

電気使用量削減目標 25%

OFF 照明をLEDに取り換える

みなさんのご家庭の照明は、すべてLEDになっていますか？　また、蛍光灯や白熱電球などを使用していませんか？　もし、**LEDではない照明を使っているのであれば、なるべく早くLEDに交換する**ことを強くおすすめします。その理由は、**LEDへの切り替えは、最も簡単かつ有効な節電方法のひとつである**からに他なりません。

「LED照明は、値段が高い」という理由で切り替えを躊躇する人が少なくありませんが、左の図のとおり、消費電力は圧倒的に低く、商品の寿命も長いので、すぐに元がとれてしまいます。**電気代が高騰すれば、LEDはさらにお得になる**のは間違いありません。

同じ明るさで比較すれば、白熱電球からLEDに換えるだけで約88％の節電となり、蛍光灯と比較しても、消費電力量を半減できることになります。

平成28年に内閣府が発表した「地球温暖化対策に関する世論調査」によれば、ほぼすべての照明がLEDの世帯、半分以上の照明がLEDである世帯はともに約14％でした。また、半分以上の照明がLEDではない世帯は約54％（ほぼすべての照明がLEDではない世帯が約19％含まれる）もあり、現在もさらなる普及が求められる状況といえそうです。

照明はすべてLEDにすべき！

	LED	電球型蛍光灯	白熱電球
外観	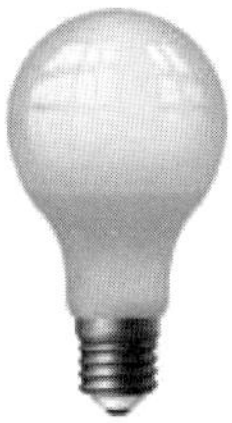		
平均価格	2,500円	700円	130円
明るさ	60ワット相当	60ワット相当	60ワット
消費電力	6.5ワット	12ワット	60ワット
寿命	約40,000時間	約10,000時間	約1,000時間
40000時間使用した際の合計費用	8,220円	13,360円	52,720円

【電気料金は1キロワットアワーあたり22円、明るさは60ワット相当にて試算】

※上の表は、電球タイプの照明の比較をしているが、直管や円形の蛍光灯の場合も、同型のLEDの蛍光灯が販売されている。照明器具そのものを変える場合は、電気店に相談するとよい

LEDへの切り替えは、最も簡単で有効な節電方法のひとつ。電気代が高騰すれば、その節電効果はなおさらでござる！

蛍光灯と冷蔵庫の消費電力は同じ!?

消費電力は、ともに約60ワット

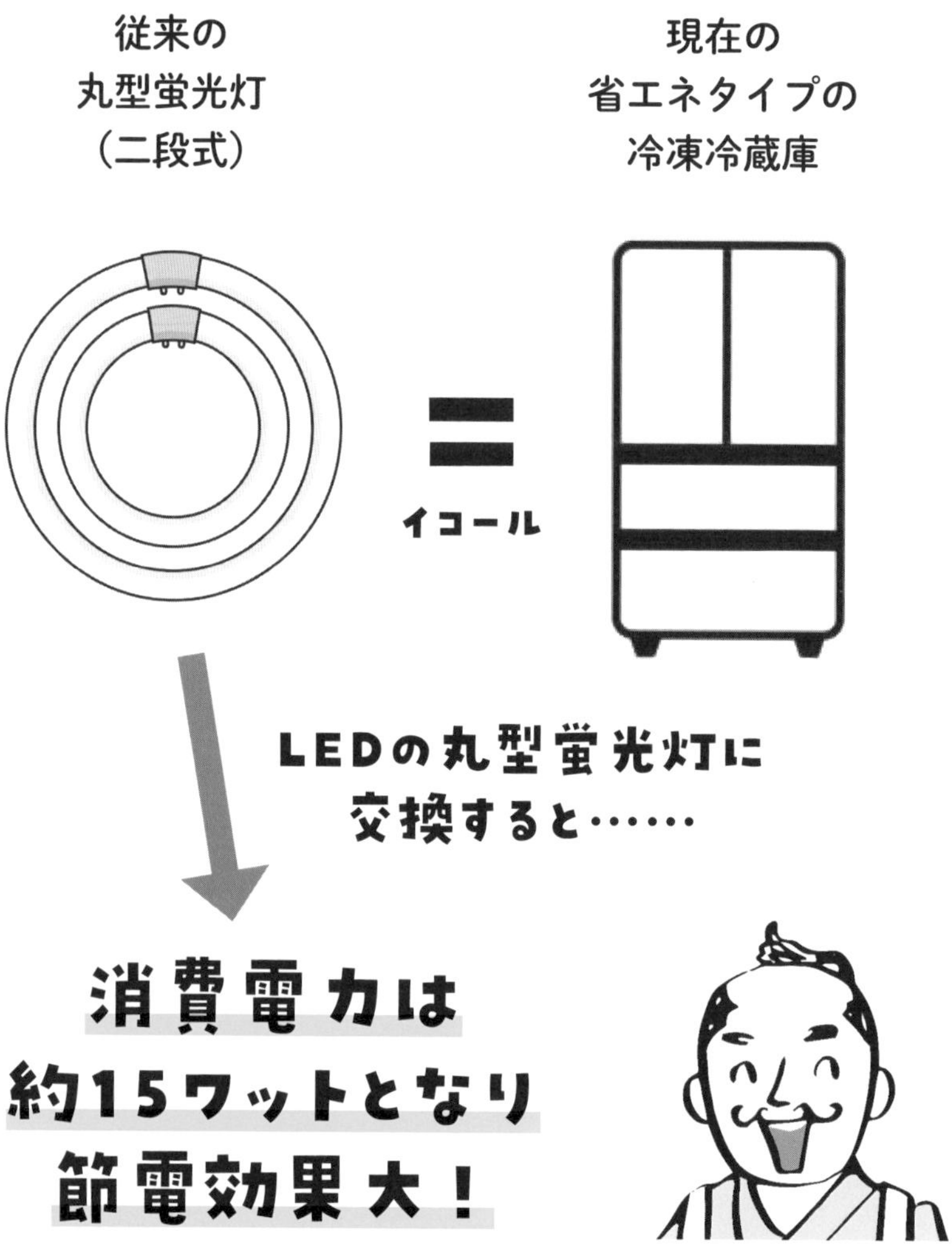
従来の
丸型蛍光灯
（二段式）
イコール
現在の
省エネタイプの
冷凍冷蔵庫
LEDの丸型蛍光灯に
交換すると……
消費電力は
約15ワットとなり
節電効果大！

LEDでない照明は、想像以上に電気を使う

従来の丸型蛍光灯を
各部屋で使っている
ご家庭は、
まだまだ多く
見かけるでござる。

それは電気代で
例えるならば、
「全部屋に
冷蔵庫がある」
のと同じでござる。

1日も早く
LEDに交換して、
簡単かつ効果的に
節電してくだされ！

OFF 「箒《ほうき》」を使う

私の家の掃除は、もっぱら「箒とちりとり」でおこないます。家に掃除機はあるのですが、箒とちりとりの活躍の前では、ほとんど出番がないのです。

箒の最大の利点は、「思い立ったときに、すぐにパッと掃除できる」ことだと思います。掃除機の場合は、収納場所から取り出し、コードを伸ばしてコンセントにプラグを差し込む……など案外手間がかかります。結果、掃除は1日1回だけの習慣となってしまうのです。

その点、箒は思ったときにパッと使えてサッと掃くだけでOK！　ホコリ程度であれば、森林に囲まれている我が家の場合は、窓を開けてサッと掃くだけで、ちりとりすら不要です。簡単だから、1日に何度でもパッと掃除してしまうので、そもそも家が汚れません。カーペットや絨毯《じゅうたん》の部分を除けば、掃除機の活躍の場はなくなってしまうわけです。

箒は消耗品ですが、**穂先が短くなるごとに「畳の部屋↓板の間↓土間や玄関」のように、「箒ローテーション」で使う場所を変える**ことで、数年間程度は使い続けられます。

掃除機は消費電力が大きく、1000ワットを超えるものも珍しくありませんし、何よりあの騒音が私には不快です。ぜひ、静かで手軽に使える箒の実力を見直してみてください。

箒は思い立ったらサッと掃除できる

思い立ったときに
サッと掃除できる
箒を、ぜひ見直して
いただきたいでござる。
箒と仲良くなると、
そもそも家に
汚れがたまりませぬ。
おすすめでござる！

箒はローテーションで長く使える

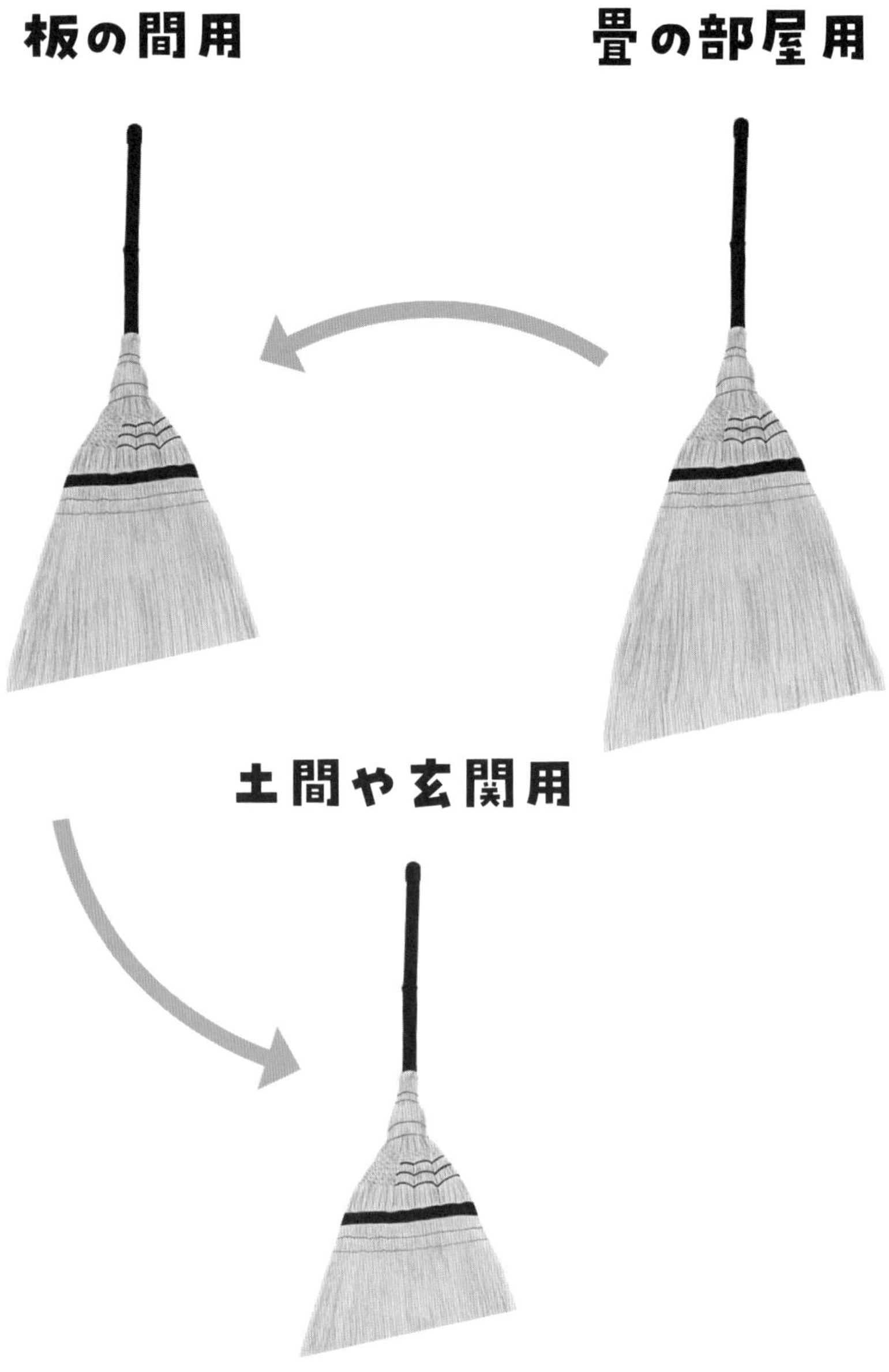

普段の掃除は、箒で十分！

掃除機の消費電力は
案外大きくて、
1000ワット以上の
ものもあり申す。

何より、拙者は
あの騒音が
気になるでござる。
その点、箒での掃除は、
静かで優雅に
感じるでござる。

土足で上がる
西洋と違い、
日本の家はもともと
汚れにくいはず。
カーペットや
絨毯を除けば、
毎日の掃除は
箒で十分では？

【PRACTICE】節電チャレンジ8日目［初級］

電気使用量削減目標25%

OFF 普段の洗濯を「お急ぎモード」にする

前述のとおり、太陽光発電システムを設置するときに、それぞれのご家庭の電気の使い方を調査していますが、ほとんどの人は洗濯機のデフォルトである「標準モード」で洗濯をされています。洗濯時間も10分程度と長く、すすぎも2回……みなさん、特にこだわりがあるわけでもなく、深く考えずに「標準モード」の洗濯をされているようです。

私はいつも**洗濯時間は5分程度、すすぎも1回のみ**です。我が家はいまでも二槽式洗濯機を愛用しているため、モードのチョイスはないのですが、いわば全自動洗濯機における「お急ぎモード」や「スピードモード」というものと同じだと思います。

もちろん、泥汚れや油汚れがひどい場合は別ですが、**ホコリや汗程度の汚れであれば、短縮メニューでも十分キレイに仕上がります**。洗剤の量も基準より少なくても大丈夫です。

ぜひ「標準」という言葉を鵜呑みにせずに、自分に合った「○○モード」を探してみてください。きっと、**多くの人は「お急ぎモード」や「スピードモード」で十分**だと思います。

少しでも洗濯機のモーターを回す時間を短縮して、ムダな電力の消費を減らすようにしましょう。

節電は貯金のようなもの

1回の洗濯を
時短してできる
節電は小さなもの。

しかし、
塵《ちり》も積もれば
山となる!
小さな節電の
積み重ねが、
結果的には、
電気料金を圧縮し、
エネルギー問題の解決に
導くのでござる。

節電は貯金のように
コツコツと……
続けてまいろう!

普通の洗濯物は「お急ぎモード」で十分

泥や油汚れなど
汚れが目立つ
洗濯物

「標準モード」や
「つけおきモード」
などで洗濯

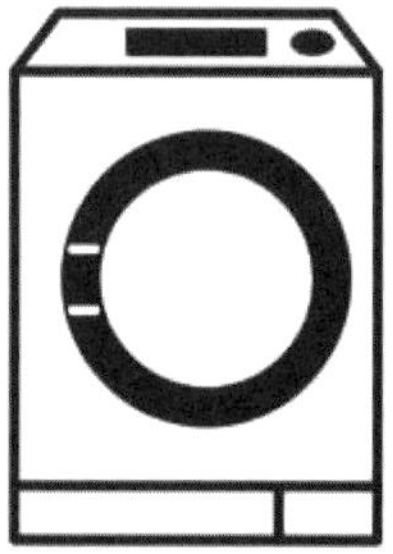

見た目では
わからない程度の
普通の洗濯物

「お急ぎモード」
など時短モードで
節電しよう！

ネーミングにだまされないで！

大切なことは、
「標準モード」の
「標準」という言葉を
鵜呑みにしない
ことでござる。

普通の洗濯物で
あれば、
「お急ぎモード」や
「スピードモード」でも
十分キレイになるで
ござる。

少しでも洗濯機の
モーターを回す時間を
短縮して、
節電してくだされ！

電気使用量削減目標 25%

OFF

冷蔵庫を「スカスカ」にする

生活必需品の家電製品といえば、その筆頭は冷凍冷蔵庫ではないでしょうか。テレビなどとは異なり、冷凍冷蔵庫は主電源を切ることはできず、24時間つけっぱなしにすることが基本です（我が家では、冬場の夜間は冷凍冷蔵庫の主電源をOFFにしています。その方法は88〜89ページで解説しています）。

しかし、常時主電源をONにしたままの冷凍冷蔵庫であっても、その使い方によって消費電力量には大きな差が生まれるのです。

まず、**冷蔵庫に関しては、庫内に食品をたくさん詰め過ぎないように心がけ、すき間を多く「スカスカ」の状態にしましょう。**冷蔵庫は、室内の温度計が庫内温度の上昇を感知するとコンプレッサーが作動し、冷風を出して冷却するシステムです。

つまり、温度計の近辺の温度を低く保つことができれば、ムダにコンプレッサーを作動させることなく効率よく冷却でき、電力の浪費を抑えることができるのです。

くり返しになりますが、**食品を詰め込み過ぎないこと、すき間を多くすること**が大切で、さらに**食品を中央部分に集めて壁側に冷気の通り道をつくる**とよいでしょう。

冷蔵庫は「スカスカ」がベスト

24時間
つけっぱなしの
冷凍冷蔵庫は、
使い方次第で
消費電力に
大きな差が生まれる
のでござる！

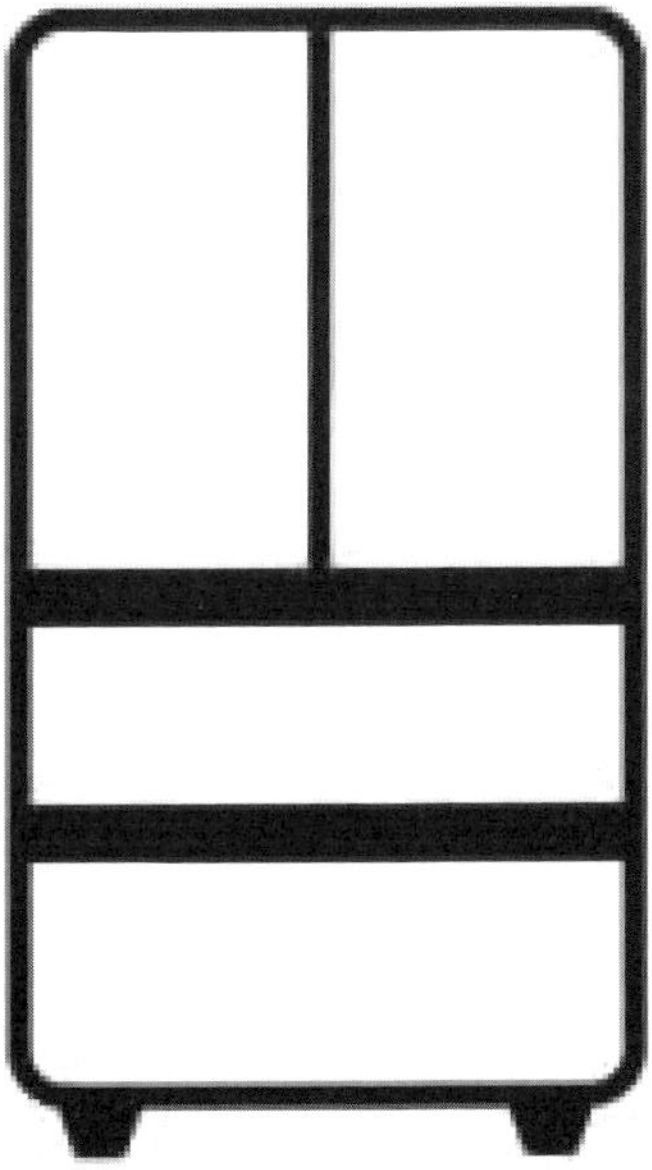

冷蔵庫は、食品を
詰め込み過ぎず
「スカスカ」にして
節電！

※開閉する回数を
少なくし、
開いている時間を
短くすることも
重要！

冷蔵庫節電のコツ

冷蔵庫に
たくさん食べ物を
詰め過ぎると、
庫内の冷気の
流れが悪くなり、
温度計の周辺の
温度が上がって
コンプレッサーが
作動しやすくなり申す。

食べ物のストックは
控えめにし、
中央部分に
寄せるようにして、
冷気の流れを
スムーズにすることが
重要でござるぞ！

食品は中央にまとめて周囲を空ける

冷蔵庫

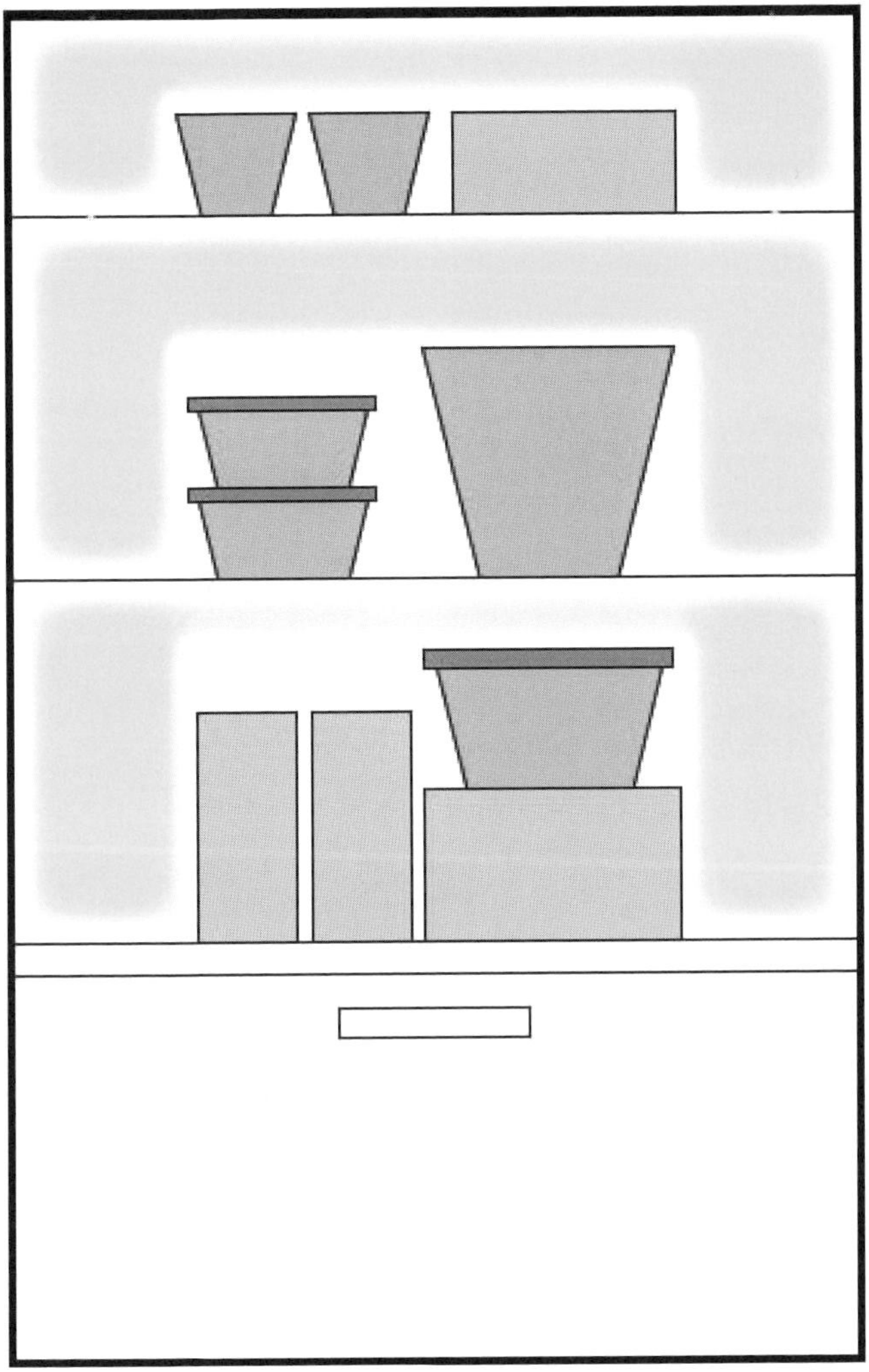

電気使用量削減目標 25%

OFF 冷凍・冷凍庫を「キツキツ」にする

冷凍冷蔵庫の消費電力を節約する方法、続きは冷凍庫編です。

冷蔵庫は「スカスカ」にするとよいのですが、**冷凍庫は逆に「キツキツ」にすることで、消費電力を抑えることができます。**冷蔵庫と同じように、冷凍庫も庫内の温度が上昇したときにコンプレッサーが作動して、温度を下げようとします。このときに多くの電力を消費してしまうのです。つまり、冷凍庫も温度上昇を抑えることがそのまま節電となるわけです。

冷凍庫内の温度は、基本的にマイナス18度以下です。この温度の上昇を抑えるためには、**すでに「凍ったもの」をなるべくたくさん詰め込んでおく**ことが重要です。**庫内の空いてしまう部分には、水を入れて凍らせたペットボトルや保冷剤を詰めておく**とよいでしょう（凍らせたペットボトルは、88〜89ページで別の活用法も紹介しています）。

ただし、冷凍庫を「キツキツ」にしたことで、扉を開閉する回数が増えてしまったり、取り出すのに時間がかかって開けっ放しにするのは、温度上昇を招いてしまい本末転倒です。

冷凍庫内はキチンと整理して、目的の食品を素早くスムーズに取り出せるように、収納するスペースをあらかじめ決めておくようにしましょう。

冷凍庫は「キッキッ」がベスト

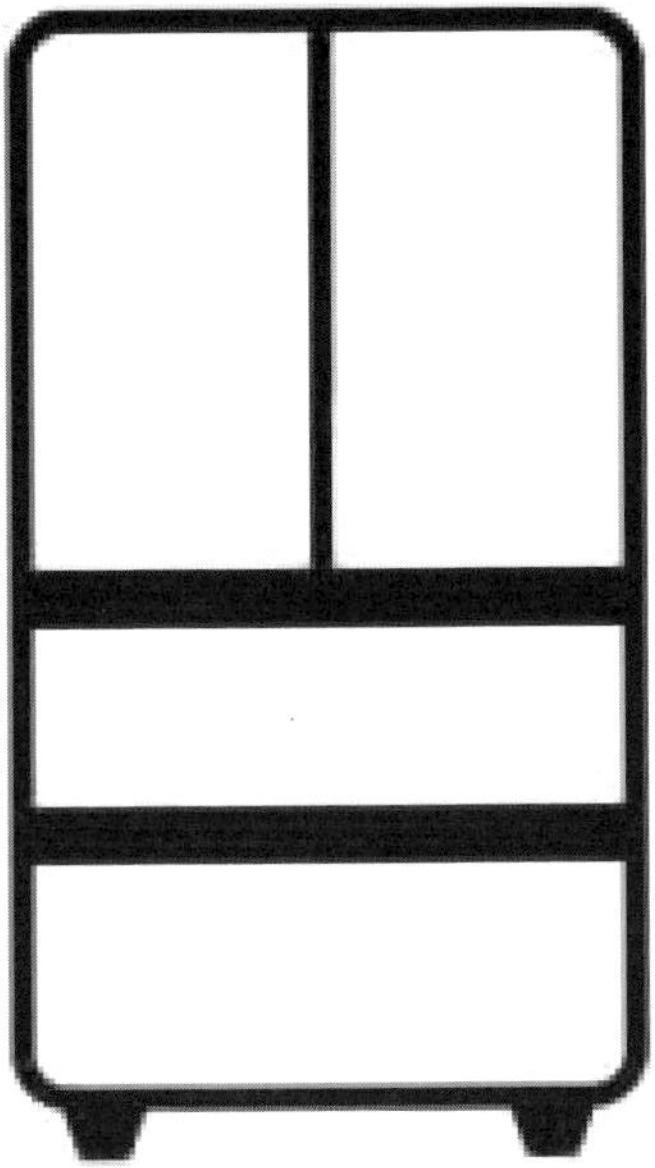

冷凍庫は、
「凍ったもの」を
詰め込んで
「キッキッ」にする

※開閉する回数を
少なくし、
開いている時間を
短くすることも
重要！

冷蔵庫は「スカスカ」、
冷凍庫は「キッキッ」が
節電になり申す。
どちらも温度上昇を
抑えることが
重要でござるぞ

冷凍庫節電のコツ

冷凍庫に
凍ったものをたくさん
詰め込むことで、
温度上昇を抑えて
節電することができ申す。
ただし、冷凍庫内が
メチャクチャに
散らかっていると、
目当ての食品を
取り出すのに
時間がかかり、
本末転倒に……。
日頃から
キチンと整理して、
食品をサッと
取り出せるように
してくだされ！

冷凍庫には「凍ったもの」を詰める

冷凍庫

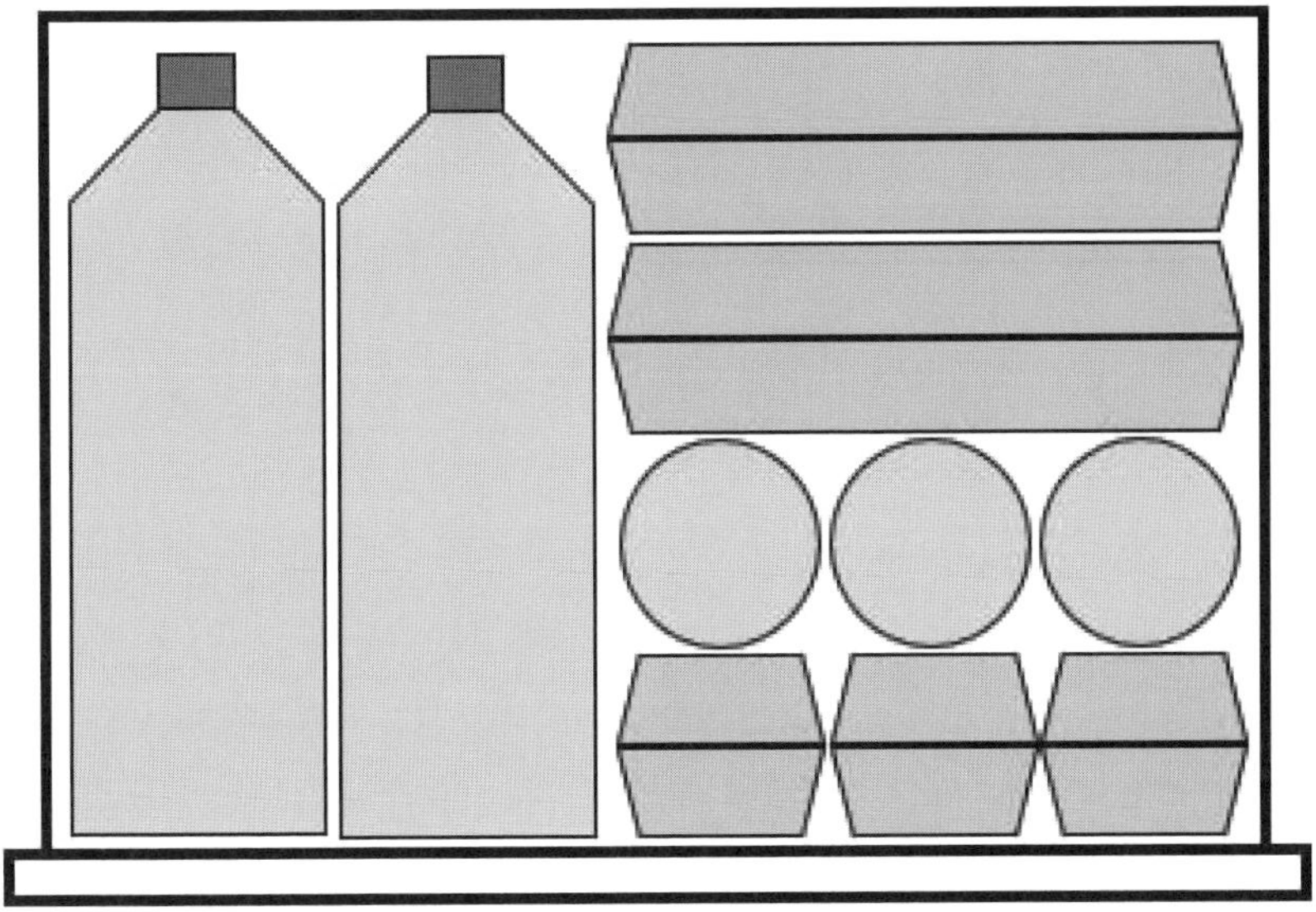

空いてしまう
部分には、凍らせた
ペットボトルや
保冷剤を
詰めておくとよい！

※凍らせたペットボトルの
別の活用法は、
88～89ページ参照

扉の開閉回数を
減らす＆
開けっ放しを防止
するために、
食品を取り出し
やすいよう整理して
おくことも重要！

電気使用量削減目標 25%

OFF「ワットチェッカー」を活用する

節電チャレンジは、ここまでで10日間が経過しました。初級編とはいえ、ここまでクリアしていれば、始める前に比べてみなさんのご家庭の消費電力量は結構圧縮しているはずです。

1日目に**節電に対するモチベーションを保ち続けるコツは、節電の効果を実感すること、節電を楽しむこと**の2つだと解説しました。この2つのことを実現するために有効なのは、**消費電力を見える化する**ことです。

実際、太陽光発電システムを設置に伺ったご家庭では、「電力を自分で測ってみたい」とおっしゃる方が大変多く、それはとても賢明なことだと思います。

消費電力を見える化できるアイテムはいくつかありますが、ここでは「**ワットチェッカー**」をご紹介します。ワットチェッカーは、**電源となるコンセントと家電の間に設置して、その家電が消費している電力量を表示する**ものです。インターネット通販でも1000円台から購入でき、計測した数値をスマートフォンで確認できるものなどが人気があるようです。

我が家では「ワットチェッカーPlus サンワサプライTAP—TST7」を愛用していますが、インバーターに接続することで家全体の消費電力も計測できます。

家電の消費電力を測ってみよう

30
ワット

パソコン

100
ワット

液晶テレビ

1000
ワット

電気ポット

1000
ワット

オーブントースター

ワットチェッカーで、
家中の電化製品の
消費電力を
見える化すると、
節電を
ゲーム感覚で
楽しめること、
請け合いでござる

消費電力を見える化する優れモノ

ワットチェッカーは、
電源と家電の間に
設置するだけで、
電化製品の
消費電力がわかる
優れモノでござる。

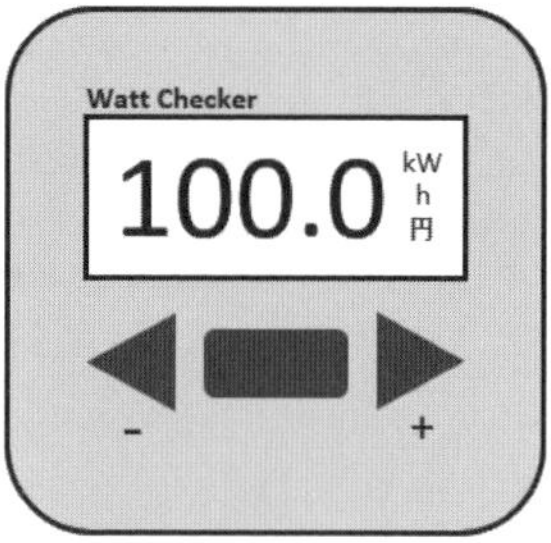

最近は
モニターで
見るだけでなく、
計測した数値を
スマートフォンで
確認できるものも
あるでござる!

ワットチェッカーのシステム

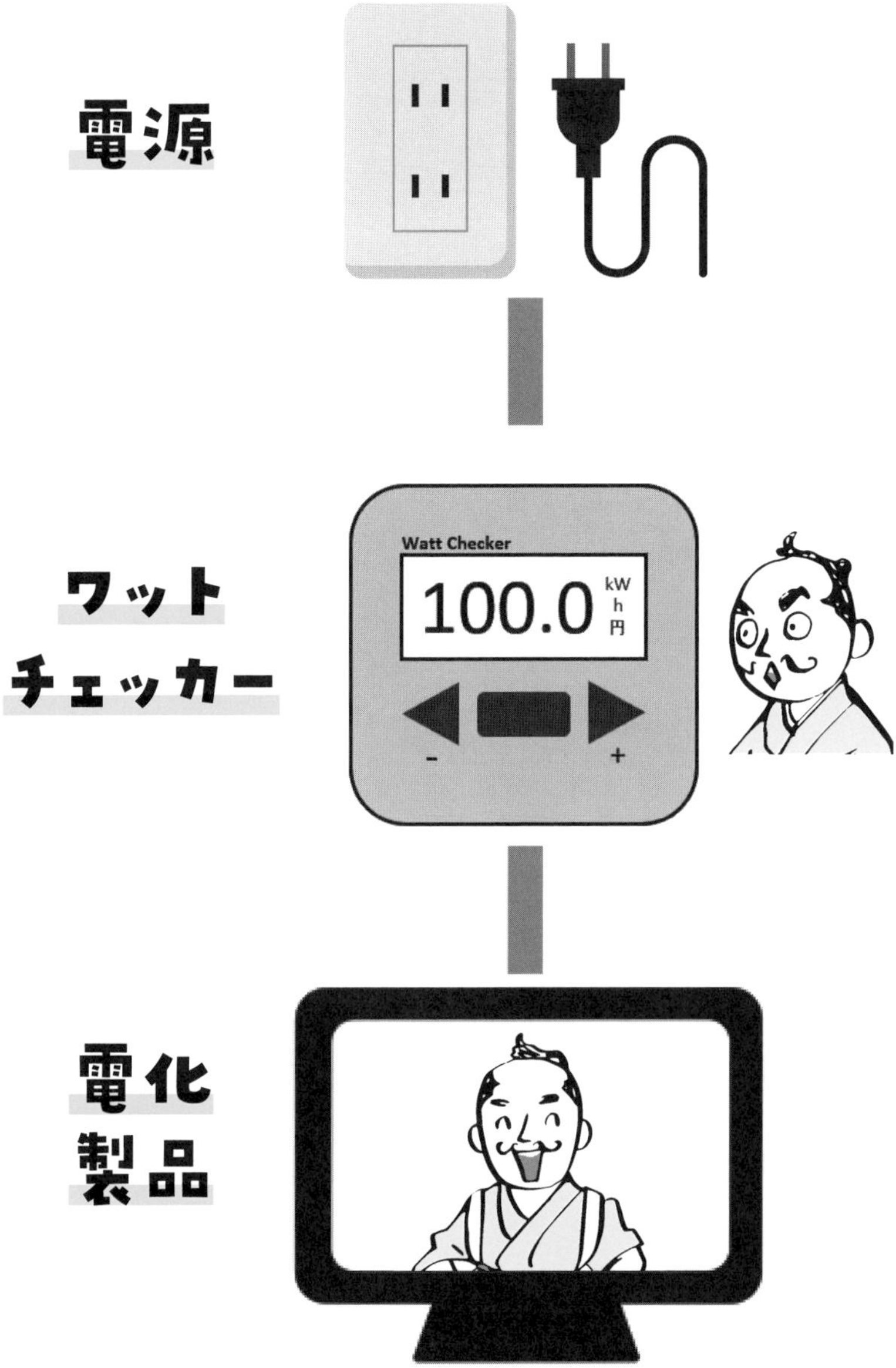

電気使用量削減目標25%

OFF

「電力モニター」を活用する

消費電力を見える化できるアイテム……続いては**「電力モニター」**をご紹介します。

電力モニターは、基本的に単体の電化製品の消費電力を計測するワットチェッカーとは異なり、**家全体の消費電力をリアルタイムで連続的に測定する**計器です。

さらに**家全体の消費電力を測定しながら、単体の電化製品をON／OFFして前後の瞬間電力量の差を見ることによって、ワットチェッカーのように単体の電化製品の消費電力を計測することも可能**です。ワットチェッカーよりはやや高価で、安くてもだいたい1万円台からとなりますが、インターネット通販でも購入できます。

使い方も簡単で、分電盤の中にあるブレーカーの出力線に電流センサーを設置すれば、計測したデータが自動的に無線通信でモニターに送信されます。モニターで見られるだけでなく、パソコンに接続すれば、積算したデータをグラフ化して確認することも可能です。我が家では、保土ケ谷電子販売「+ECOCO EMS100」を愛用しています。

また、大手電力会社では、電力モニターとほぼ同じ機能を持つ「スマートメーター」というシステムを導入しているところもあります。

家全体の消費電力を測ってみよう

ワットチェッカーや
電力モニターは、
節電対策を
楽しく効果的に
実践するための
強い味方でござる。

特に
電力モニターは、
拙者のように
太陽光発電などで
オフグリッド生活を
おくる者には、
必須アイテムで
ござる!

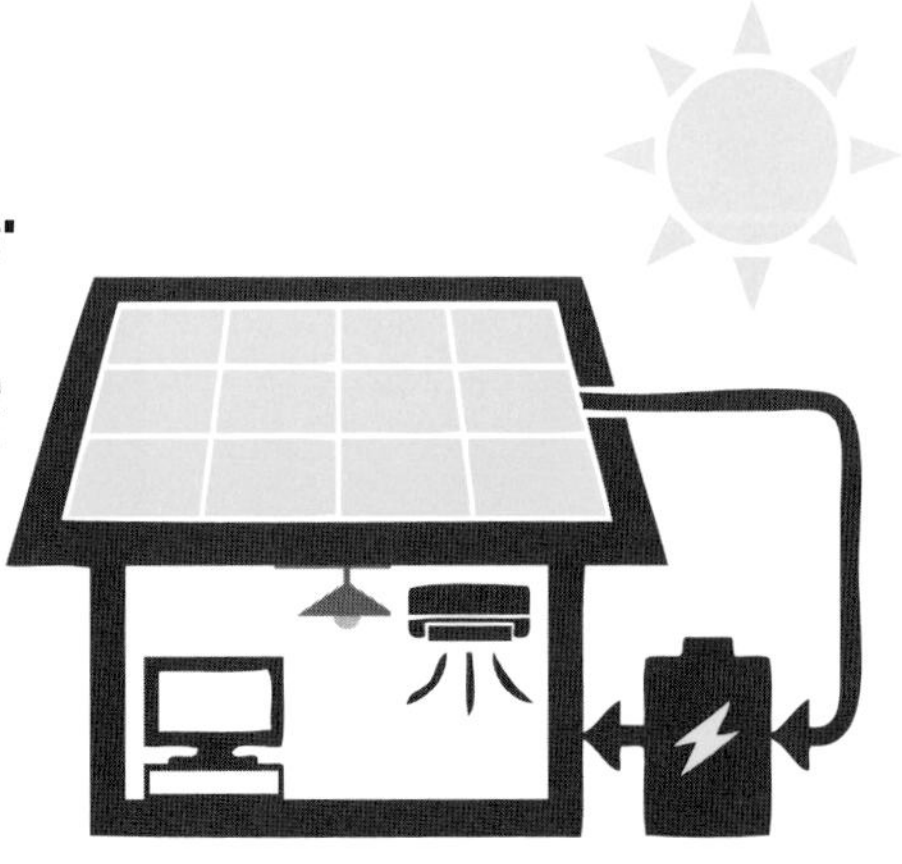

セツデン侍もすすめるスゴイ機能！

電力モニターは、
家全体の消費電力を
測定するだけでなく、
積算したデータも
見ることが
できるでござる。

また、各電化製品を
ON／OFFして、
その前後の
瞬間電力量の差を
確認すれば、
単体の家電の
消費電力も
計測できるでござる！

電力モニターのシステム

分電盤に電流センサーを設置

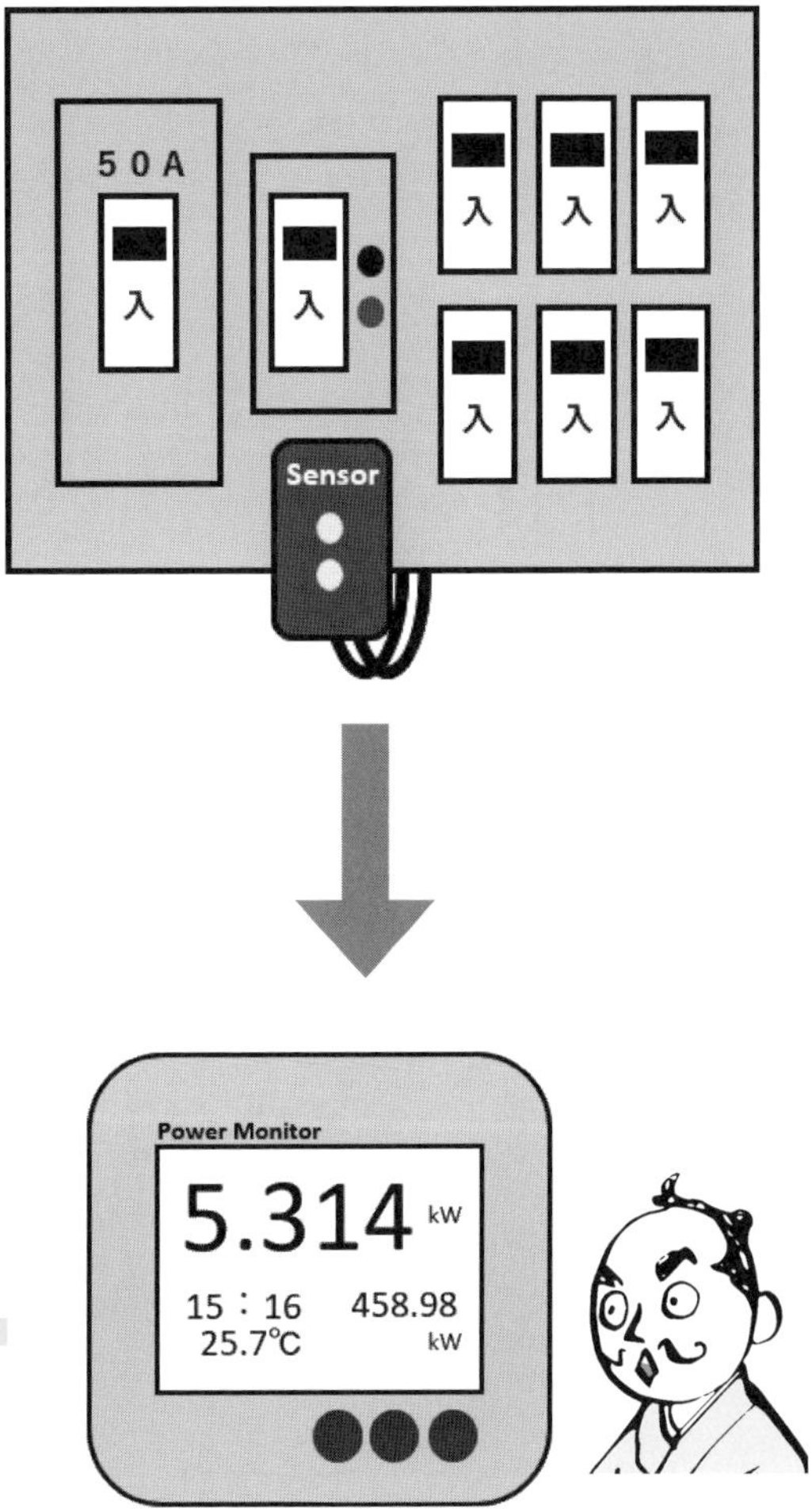

計測データを無線通信にて自動送信！

電気使用量削減目標 25%

OFF

湯沸かしは「やかん」、保温は「魔法瓶」を使う

節電チャレンジの初級編も残すところ、あと2日です。ここからは、**節電にとって最も重要なテーマである「電気を熱に戻さない」メソッド**について解説します。

16～17ページで説明したとおり、令和2年度のデータにおいて、日本の電源構成の合計80%を占める火力発電と原子力発電では、燃料を燃やして得た蒸気の熱エネルギーによってタービンを回転させ、その運動エネルギーによって電気エネルギーを生み出します。

また14～15ページで解説したとおり、発電時に60%、送電時に5%、合計65%ものエネルギーロスが生じるため、電気は「最高級のエネルギー」であることを肝に銘じましょう。

電気ポットで湯を沸かすことは、この膨大なエネルギーロスという犠牲をムダにして、発電前の熱エネルギーに戻してしまうことに他なりません。

こんな矛盾に満ちたバカバカしい電気の使い方は、他にはないと私は考えています。

電気ではなく、最初から素直に**ガスを燃やして湯沸かしすれば、このような膨大なエネルギーロスは必要ない**のです。電気代高騰に負けない賢者の節電をするのであれば、湯沸かしは「やかん」でガス火によっておこない、保温は「魔法瓶」でしましょう。

電気ポットで湯を沸かすべからず

膨大なエネルギーロスを
犠牲にして生まれる
「最高級のエネルギー」
である電気を、
再び熱エネルギーに
戻すのはNG！
「タブー」でござる！
電気ポットでの
湯沸かしなど、
笑止千万でござるぞ！

「電気による湯沸かし」がダメな理由

65%のエネルギーロスを完全にムダにして熱エネルギーに戻してしまう！

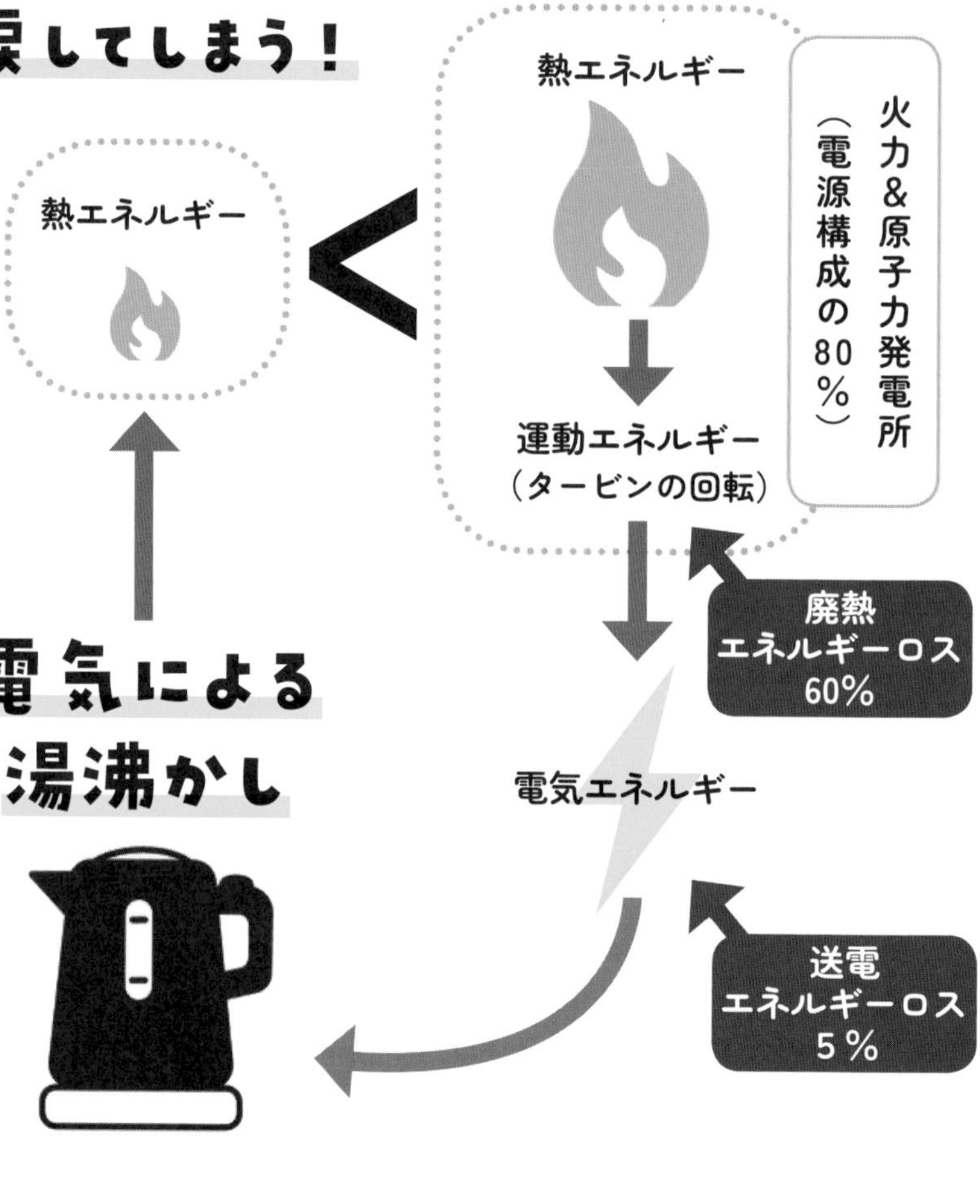

電気ポットの消費電力をご存じですか？

右の図解を
ご覧になれば、
電気エネルギーによって
湯を沸かすことが、
矛盾に満ちた
バカバカしい電気の
使い方であることが、
一目瞭然でござろう。

湯沸かし：
1000ワット
保温：
30ワット

しかも、
電気ポットなどは
消費電力も
大きいのでござる。
賢く省エネしたいなら、
「電気による
湯沸かし」は
タブーなのでござる！

電気使用量削減目標25%

OFF

ごはんを「直火」で炊く

「電気を熱に戻さない」メソッド、続いては炊飯です。日本人の食事に欠かせないごはんは、電気炊飯器で炊く人が多いと思います。電気炊飯器は、炊飯したのちに保温する……ほぼ電気ポットの湯沸かしと同じシステムの電化製品といえます。消費電力も大きくて、炊飯時に1000ワットを超えるものも少なくありません。やはり、電気ポットと同様に「最高級のエネルギー」である電気の使い方としては、改めてほしいと思います。

また、味わいの点でいっても、**ごはんは電気よりも直火で炊いたほうがずっと美味しい**ものです。実際、電気炊飯器の中に「かまど炊き」風を謳《うた》っている商品があるように、電気よりも直火で炊いたごはんのほうが美味しいということは、誰しも認めるところでしょう。

私は、普段薪ストーブの火でごはんを炊いています。薪ストーブをつけない日は、ガス火で炊きます。**電気炊飯器よりも直火のほうが炊き上がりまでの時間は短くて済み、エネルギーを節約できるだけでなく、何より美味しい**と思います。「電気には電気にしかできないことをお願いする」という観点からいえば、炊飯は電気にお願いすることではないはずです。

「早くて、安くて、美味しい」のに、みなさんはまだ電気炊飯器を使いますか？

電気炊飯器でごはんを炊くべからず

	電気炊飯器	土鍋炊き(直火)
炊き上がりまでの時間	約45分	約35分（消火後の10分間の蒸らし時間を含む）
炊飯1回分のコスト	8.30円（※1）	4.8円（※2）

※1　米3合分。電気代は、東京電力管内の規制料金・従量電灯Bの第1段階料金の現行単価25.01円／1kWhを基準に、500ワットの炊飯器を40分利用にて試算した

※2　米3合分。ガス代は、東京ガス管内の一般料金B区画料金を180円/1㎥目安で、中火10分間で3.6円、弱火15分間で1.2円、蒸らし10分間の調理にて試算した

ごはんは直火炊きに限りますぞ！

実はカンタン！直火炊きごはん

①洗った米と分量の水をフタ付きの鍋に入れて、弱めの中火にかける
（水の分量は、米1合につき200mlが目安）

②約5～10分で沸騰するので、極弱火にして約15分間加熱する

③火を止めて、10分程度おいて蒸らしたら炊き上がり

「美味しい」からこその直火炊き！

最近は、エネルギー
問題とは関係なく、
ただ「美味しいから」
という理由で
ごはんを土鍋で
直火炊きする人が
多くなってきている
そうでござる。
また、ガス炊飯器を
購入するという
選択肢もあるでござる。
実際にやってみると
とても簡単なので、
ぜひ直火炊きごはんに
チャレンジしてみて
くだされ！

電気使用量削減目標50%

OFF

加熱調理はすべて「直火」でする

本書で紹介する節電術の最大のテーマは、「電気を熱に戻さない」ことに他なりません。その観点でいえば、やはり加熱調理は電力を使わず「直火」でしてほしいと思います。

炊飯器や電気ポットだけでなく、電気オーブンやトースター、ホットプレート、IHクッキングヒーターなど、電気エネルギーを熱エネルギーに戻してしまう電化製品は多種多彩にあります。少し仕組みは違いますが、電子レンジも同様です。

これらの電化製品は、総じて消費電力が大きいだけでなく、電気をつくるときに犠牲にする膨大なエネルギーロスをムダにしてしまうものなのです。

我が家では、加熱調理はすべて直火でおこないます。たまにコンビニで冷凍シュウマイを買うこともありますが、その場合も電子レンジではなく、家で蒸しなおします。本格的な蒸籠《せいろ》はありませんが、鍋と金属製のザル、小皿を使えば、手早く美味しく蒸すことができます。

オール電化の家庭では実現が難しいのですが、私はエネルギー問題の観点だけでなく、災害時に発生する大規模停電などのリスクを避ける意味でも、オール電化には否定的です。

火の気が心配な高齢者の家庭などを除けば、すべてを電気に頼るべきではありません。

【PRACTICE】節電チャレンジ16日目［中級］

電気使用量削減目標 50%

OFF

煮込み料理は「保温」を活用する

長時間加熱し続ける必要がある煮込み料理の場合は、「保温」調理がおすすめです。最も手軽なのは、**保温調理器**の活用です。すでに利用されている方も多いと思いますが、保温調理器はシチューやカレー、スープなど水分の多い料理を加熱してから鍋のまま入れ、そのまま保温することで調理する器具です。電気やガスなどの熱源が必要なく、断熱加工による保温効果だけで調理するため、電気やガス火などで加熱し続けた場合と比較して、**省エネ効果はとても大きい**です。主に魔法瓶に採用されている「真空断熱」という技術が施され、空気の層とは異なり、熱を伝える気体分子がほとんどない「真空」の層で囲うことで優れた断熱効果を発揮し、6～8時間程度は60℃以上の温度を保つことができます。焦がしてしまう心配もなく、保温したまま、ほったらかしにできる点も大きな利点です（ただし、冷めてくると雑菌が繁殖しやすい状態になるので注意が必要です）。

肉じゃがや煮魚など、**数分～10分程度しか加熱する必要のない煮物の場合は、煮上がる少し前に火を止め、鍋ごとタオルなどで包むだけの保温調理も有効**です。食材にゆっくりと火を通し、その後、徐々に冷めていく過程で味が染み込み、美味しく仕上がります。

電気使用量削減目標 50%

OFF

エアコンは「冷房」のみに使用する

エアコンの暖房使用は、消費電力が大きいだけではなく、くり返し申し上げているエネルギーロスの問題からもおすすめできません。また、エアコンの暖房は部屋を暖めるパワーが弱く、寒さの厳しい地方では十分な暖房力とはなりません。

私も長い間、寒さの厳しい福島で暮らした経験がありますが、一般的には石油ストーブや石油ファンヒーターのほうが部屋を暖めるパワーは強力であり、「最高級のエネルギー」である電気の消費量も少なくて済みます。ちなみに、私の家の暖房は、福島時代も現在も、薪ストーブを利用しています。薪ストーブは、薪を燃やすストーブの部分だけでなく、煙を排出する煙突のパイプも暖房効果を発揮するため、部屋を暖めるパワーは最強といえます。

エアコンは、「冷房」のみに使用するのがよいと思います。**地球温暖化が進んだ現代では、エアコンの冷房は都市生活者の生命線となる生活必需品である**といえそうです。

私の家は、周囲を山林に囲まれていて、アスファルトやコンクリート部分が少なく、地面はほとんどが土であるため、夏場でも都市部のように暑くはなりません。真夏であっても、扇風機を回せば十分涼しく快適に過ごせる環境なので、エアコンは一切使用していません。

【PRACTICE】節電チャレンジ18日目【中級】

電気使用量削減目標 50%

OFF

暖房に「湯たんぽ」を活用する

電気代高騰に負けない「賢者の節電」を実践するのであれば、電気を「熱に戻す」のは、絶対的なタブーです。つまり、**電力を暖房に使うのはNG**ということになります（もちろん、石油ファンヒーターのように、ファンの回転に電力を活用するのは問題ありません）。

まず、**部屋全体を暖めるのであれば、石油ストーブや石油ファンヒーター、ガスファンヒーターなどがよい**でしょう。エアコンやホットカーペット、電気こたつ、電気ストーブなど、電気を「熱に戻す」暖房器具は、節電とエネルギーロスの観点からおすすめできません。

寒さの厳しい地方でなければ、湯たんぽの活用をおすすめします。湯たんぽといえば、布団に入れて就寝中に使うイメージが強いかもしれませんが、もちろん日中も活用できます。

千葉県在住の知人のライターは、来客時を除いて冬場もエアコンやホットカーペットは使用せずに、**テーブルにこたつ布団をかけて座イスに座り、足元に湯たんぽを入れる**スタイルで執筆仕事をしているそうです。こたつ布団の下に薄手の毛布を加えて保温性を高めれば、湯たんぽを途中に一度温めなおすだけで、朝から夜まで暖かいままキープできるとのこと。

東洋医学にある**「頭寒足熱《ずかんそくねつ》」**の教えのとおり、頭が冴えて仕事もはかどるそうです。

電気使用量削減目標50%

OFF 居住空間の「断熱」と「保温性」を高める

電気代だけに限らず、冷暖房にかかるエネルギー消費を抑えるためには、居住空間である家の「断熱」と「保温性」はしっかりしたいものです。気密性が高く、断熱もしっかりしている「高断熱住宅」であれば、外気による影響を受けにくく、寒さや暑さがそれほど室内に浸透しません。また、冷気や暖気を外気に漏らさないため、冷暖房の効率もよくなります。

私の家は、古い日本家屋を大工の友人や隣人の協力を得ながらリフォームしたものですが、特に断熱に気を配ったおかげで、薪ストーブの暖房効果も最大限に得られています。

断熱性に自信がないお住まいでも、簡単な工夫を施すことで断熱性を高めることは可能で、冷暖房にかかるエネルギー消費も抑えることができます。

主に**工夫したいのは、「窓」の周辺**です。夏場は、強い直射日光が当たらないように**「すだれ」や「よしず」をかける**ようにしましょう。朝顔やゴーヤーなどの「つる性植物」による**「グリーンカーテン」**も効果的です。冬場は、**長めのカーテンに換えて床とのすき間をなくし、さらに養生テープ等で壁とのすき間もふさぐ**とよいでしょう。また、**窓ガラスとサッシの部分に緩衝シートを張り付ける**ことでも断熱効果を高めることができます。

電気使用量削減目標50%

OFF

「ミルキング・アクション」で血行を促す

ここからは、健康編です。私たちの体を温めてくれるのは、暖房器具だけではありません。いわば、人間の体は「内燃機関」そのものですから、食事で摂取したエネルギーを燃焼させて熱エネルギーを生み出し、自らの体を温めることができるのです。

十分な体温を維持するために、重要なのは「血液」と「筋肉」です。血液は心臓から送り出されると動脈を通って全身へ送られ、毛細血管に入ると細胞に酸素と栄養を供給、代わりに二酸化炭素と老廃物を回収し、その後は静脈を通って肺を経由し、再び心臓へと戻ります。

心臓とともに、この**血液の循環機能を司っているのは、「第二の心臓」と呼ばれる足**です。歩行などの運動によって、大腿部のハムストリングスやふくらはぎの筋肉を動かすと、その筋肉の動きが牛の乳しぼりのように足の静脈を収縮と拡張をくり返すように刺激します。

この動作は**「ミルキング・アクション」**と呼ばれ、下半身の血液を上へ上へと押し上げる働きをし、その結果、全身への血液循環をも促す重要な役割を果たしているのです。

ぜひ、毎日ウォーキングなどの有酸素運動をおこなっていただき、足の筋肉を動かす習慣を大事にして、積極的に血行を促進しましょう。

※［健康］編は、健康実用書の制作経験が豊富な編集者の助言を参考にまとめています。

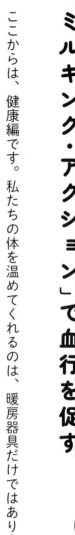

OFF

「血管新生《けっかんしんせい》」で毛細血管を新陳代謝する

温まりやすく冷えにくい体質を維持するためには、血管のコンディションも大切なファクターとなります。血管の種類は、動脈、静脈、毛細血管の3つがありますが、**毛細血管だけは「血管新生」という現象によって新陳代謝をくり返す**ことが可能です。この**血管新生を活発化させるためには、血行を促進して毛細血管に血液をどんどん流すことが重要**です。

人間の体は、活動的な昼間には、脳や内臓などの体の中心部に血液が多く集まって「深部体温」が高くなります。夜になると、血液は体の中心部から皮膚に近い毛細血管へと広がり出て、外気へと熱を放出します。このときに深部体温が低くなることで、私たちの体は眠気を覚えて睡眠へと誘われるのです。

しかし、毛細血管のコンディションが悪いと体の隅々まで十分な血液がゆき渡らずに、冷え性などの不調を引き起こします。また、**体が冷えやすく温まりにくい人も、毛細血管のコンディションが悪く、血行が滞っているかもしれません。**

私は、薪割りなどの肉体労働が日課で、毎日ヨガもおこなっています。また、趣味のサーフィンでも体を動かしています。肉体労働や運動により、血行の促進を心がけています。

【PRACTICE】節電チャレンジ22日目［健康］

電気使用量削減目標50%

OFF

筋肉量を増やして内燃力を高める

温まりやすく冷えにくい体質を維持するためには、筋肉量を増やすことも重要です。

私たちの体は、食事によって栄養分を摂取し、さらに体の中でさまざまな栄養素を吸収、分解しています。このとき**一部の栄養素が「熱」となって消費される**のです。

食事をすると体を動かさなくても体が温まるのは、栄養素を熱として消費する「食事誘発性熱産生《ねつさんせい》」という代謝のおかげです。

熱となって消費されるのは、主に三大栄養素と呼ばれる「たんぱく質・脂質・炭水化物（糖質）」ですが、これらの栄養素を熱に変えるときに活躍するのが**「筋肉」**です。

体を動かさなくても生命活動の維持のために、私たちはエネルギーを必要とします。そのエネルギー量のことを「基礎代謝」といいます。この**基礎代謝と食事誘発性熱産生は、筋肉量が多いほど活発になり、筋肉量が減少すると低下**してしまいます。

つまり、筋肉量を増やすことで、私たちの体の内燃力はアップするわけです。

個々人の無理のない範囲で**筋力トレーニングを習慣的におこない、温まりやすく冷えにくい体質づくり**を目指しましょう。

OFF

熱を生み出すエネルギー源をしっかり摂る

前述のとおり、私たちの体の中で「熱」に変えられるのは、三大栄養素である「たんぱく質・脂質・炭水化物（糖質）」です。車に例えれば、**熱産生をおこなう筋肉はエンジンで、三大栄養素はガソリン**ということになります。

当然の話ですが、ガス欠になれば車のエンジンは止まってしまうので、熱を生み出すエネルギー源である三大栄養素は、食事でしっかり摂取する必要があるのです。

特に注意が必要なのは、若い女性です。

肥満度を表す指標として、健康診断でおなじみの体格指数「ＢＭＩ」は、18・5以上～25未満が標準とされています。しかし、20代女性の5人にひとりは18・5未満といわれています。

糖質制限ダイエットが流行して以来、糖質は悪のようにいわれることが多いようですが、**過度のダイエットで糖質や脂質を欠乏してしまうと十分な熱産生がおこなえず、体が冷えやすくなってしまう**のです。

もちろん、糖質や脂質の摂り過ぎには注意が必要ですが、熱を生み出すエネルギー源が欠乏しないようにしっかり摂るようにしましょう。

電気使用量削減目標50%

OFF

「太陽と月のリズム」で生活する

私は、「太陽と月のリズム」を大切にして、日々を過ごしています。簡単にいえば、早寝早起きを実践しているということです（月は昼間にも見えますが、ここでは夜の象徴として表現しています）。地球の自転は、24時間周期です。地球上に生きるすべての生き物は、この24時間周期という昼夜のリズムに体が同調しています。私たち人間の体には、24時間周期で昼夜をくり返すリズムに合わせてホルモンの分泌や体温を変化させる機能が備わっているのですが、この機能のことを**「サーカディアンリズム（概日リズム）」**と呼びます。

最初の人類とされているアウストラロピテクスが数百万年前に誕生してから、ずっと人類は日の出とともに起き、日没とともに眠るという生活を続けてきました。しかし、電気照明が普及し始めた明治時代から、徐々に夜の生活時間が長くなり、現代人は午前0時を過ぎても起きていることが特別なことではなくなりました。

太陽が昇る明るい時間に活動し、日が落ちて暗くなったら休む……という生活リズムは、健康面で理にかなっているだけでなく、節電にも有効です。太陽と月のリズムを大事にして、なるべく夜更かししないよう心がけ、体の健康と電気を同時に大切にしましょう。

電気使用量削減目標90%

OFF

冬場の夜間は冷凍冷蔵庫の主電源を切る

常に節電している人であっても、冷凍冷蔵庫の主電源を切る人は、まずいないと思います。

しかし、我が家は**冬場の夜間に限っては、冷凍冷蔵庫の主電源をOFFに**してしまいます。

節電チャレンジ10日目において、冷凍庫は凍ったもので満たし、「キツキツ」にしましょうといいましたが、このときに**2ℓ入りのペットボトルに水を入れ、それをしっかり凍らせておく**のです。冷凍冷蔵庫のサイズにもよりますが、**2〜4本は必要**です。

就寝前に凍らせたペットボトルを冷凍庫から出し、冷蔵庫の最上段に並べます。みなさん、ご存じのとおり、冷気は上から下に流れますので、最上段に並べることで冷蔵庫内全体に冷気を届けることができるわけです。準備ができたら、冷凍冷蔵庫の主電源をOFFにします。

もともと**冷凍冷蔵庫は、断熱効果が高い**構造ですので、冬場の夜間に就寝時間程度であれば、凍らせたペットボトルの冷気によって冷蔵庫内は十分に冷たいまま、冷凍庫内のものは凍ったまま保つことができます。

注意点が2つあります。冷凍庫はペットボトルのスペース以外は凍ったもので十分に満たしておくこと、また朝に主電源をONにするまでは冷凍冷蔵庫を絶対に開けないことです。

冬の夜に冷凍冷蔵庫の主電源を切る方法

準備　２ℓ入りのペットボトルに水を入れ、しっかり凍らせておく（冷凍冷蔵庫のサイズにより２～４本程度準備する）

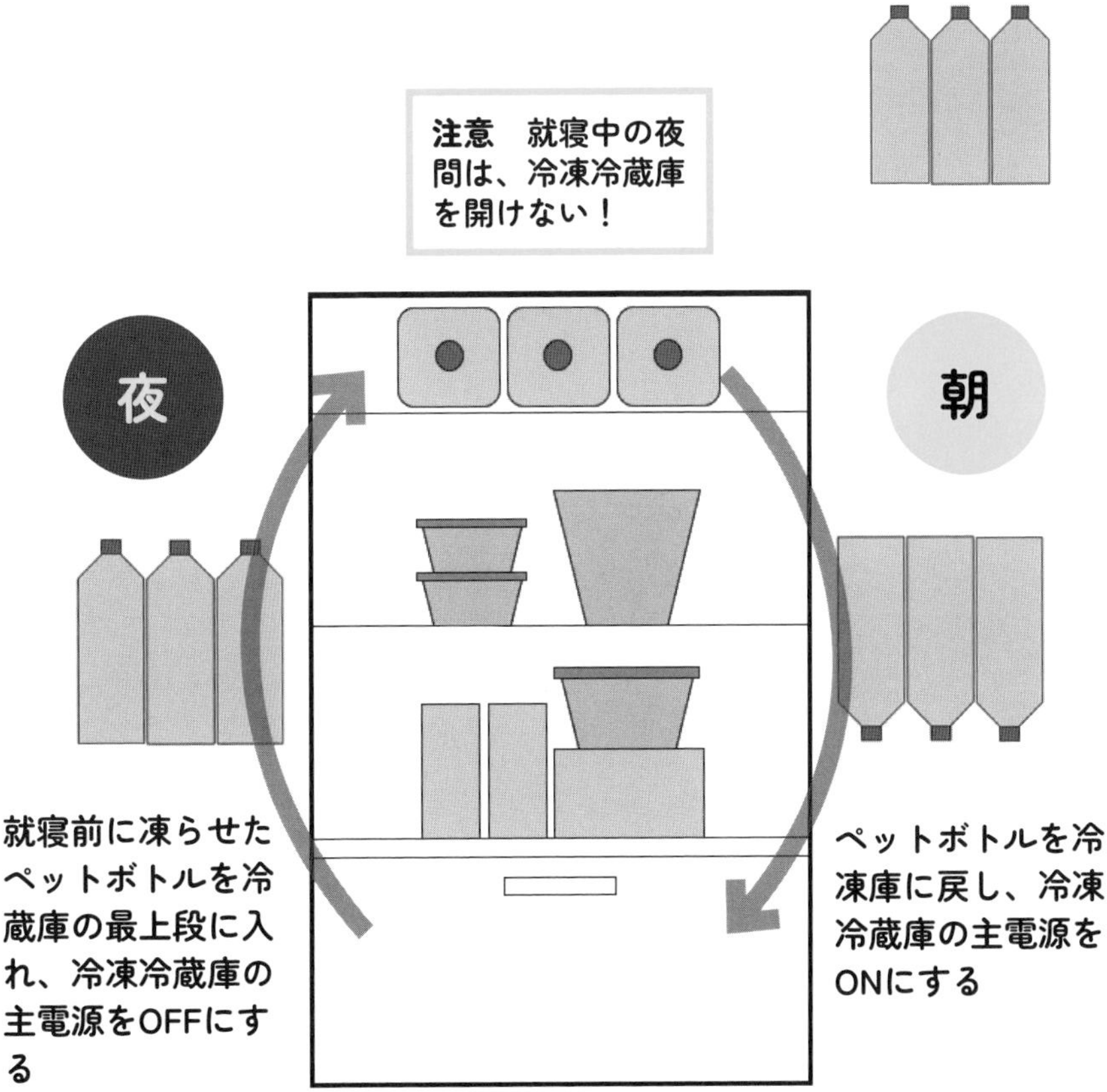
注意　就寝中の夜間は、冷凍冷蔵庫を開けない！
夜
朝
就寝前に凍らせたペットボトルを冷蔵庫の最上段に入れ、冷凍冷蔵庫の主電源をOFFにする
ペットボトルを冷凍庫に戻し、冷凍冷蔵庫の主電源をONにする

注意　冷凍庫内は、ペットボトルを抜いたスペース以外は、凍ったものでキツキツにしておくこと

電気使用量削減目標90%

OFF

ナショナル・ミニマムの消費電力量を目指す

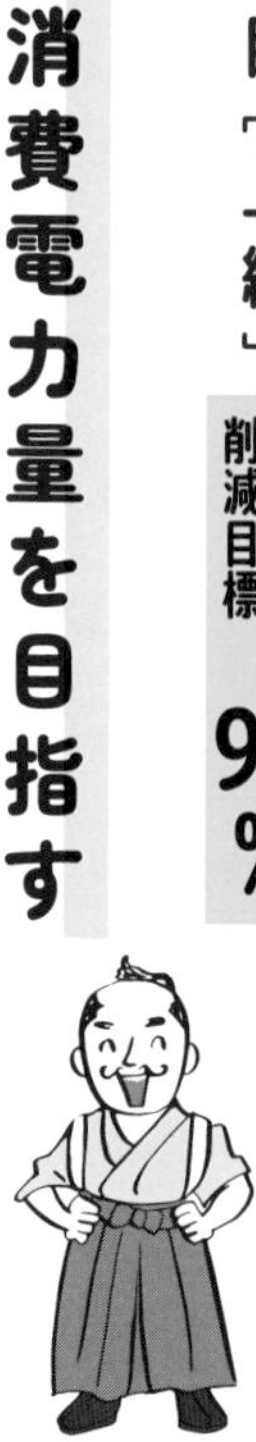

28〜29ページにおいて、電力会社の「3段階料金制度」について解説しました。

「ナショナル・ミニマム」は、そのうち第1段階となる最も安い電気料金のゾーンのことで、ひと月の消費電力量が120キロワットアワー未満の場合に適用されます。

前述のとおり、第3段階の家庭は第2段階以下を、第2段階の家庭は第1段階以下を目標に、ゲーム感覚で楽しみながら節電にとり組んでほしいと思いますが、実はこのプロセスは、私のような**オフグリッド生活を実現するための準備であり、その助走となるもの**です。

我が家が電線の引き込み線を断ち、電力会社の配電網から完全に独立したのは、2014年7月のことですが、当然ながらそれ以前は電気料金を支払っていました。

しかし、**オフグリッドとなる約1年前からは、ほとんど電力会社の電気を使っておらず、毎月の支払いは、当時の基本料金である400円程度だけ**でした。

つまり、その1年間はナショナル・ミニマムであるだけでなく、99・9%の電力は自給できていたことになります。この実績を自信に変えて、私は電力会社の配電網から独立し、確信をもって完全なるオフグリッドとなったのです。

電気使用量削減目標90%

OFF

ミニマムな「太陽光発電システム」を導入する

私は独自の太陽光発電システムの設置を生業にしていますが、ミニマムなものは、**ソーラーパネル、ケーブル、充電用バッテリー、充放電コントローラー（過充電を回避する機器）、インバーター（直流を交流に変換する機器）のセット**で10万円程度の費用で実現可能です。

発電量は最大出力100ワットとかわいいものですが、それでもLED照明を3つ点灯し、さらにスマートフォンを充電することができます。重要なポイントは、**自家発電してつくった電力をバッテリーに充電する仕組みの「独立型」**であることです。

また、太陽光発電のメリットは、同じ自家発電システムでも風力や水力を利用するタイプと異なり、風や水の運動エネルギーを発電機の回転力に変化する「回転体」がないため、比較的故障が少なく、基本的に専門知識のいるメンテナンスが必要ないことです。

本の趣旨とは異なるため詳述はしませんが、私はメガソーラーの推進には否定的です。たとえ100ワットの小さな太陽光発電システムであっても、電力会社の配電網から独立した形で電気をつくることに重要な意味があると考えています。

自給した電力が灯す小さな明かりが教えてくれるものは、決して小さくはないのです。

電気使用量削減目標90%

OFF

自分で火を起こしてみる

近年、キャンプ・ブームが到来した理由のひとつに**「火」の魅力**があるように思います。

自然環境の中で火を起こし、家族や友達、もしくはひとりでたき火の炎と向き合い、食事をつくって食べ、暖をとりながら眺める……一瞬毎に姿を変え、揺れ動く炎を眺めていると、さまざまなことが想起されたり、逆に無の境地に近づけたりするものです。

私も薪ストーブを灯すたびに炎を眺め、癒されている人間のひとりです。

また、**火は電気を生み出すための「熱」でもあり、私たちの生活を支えるエネルギーの根源**となるものです。その意味と価値を考えるために、ぜひ自分で火を起こしてみましょう。

キャンプやバーベキューの施設、七輪などを使える場所があれば、自分の力で火を起こし、その火でつくった料理をゆっくり味わってみましょう。きっと一味も二味も美味しく感じられ、**火があることのありがたみ**が身に染みるはずです。

マッチやライター、バーナー、ファイアスターター（メタルマッチ）などの文明の利器を使わずに、木や竹の摩擦、火打石、レンズやガラスなどの反射など、原始的な方法で火起こしをすれば、その感慨はより深くなると思います。

OFF

「使わない」インテリジェンスを養う

エネルギー問題を考える場合、私たちはエネルギーが「足りない」もしくは「高い」などという現況を鑑みながら、誰しも「どうする？」と頭を悩ますわけですが、結局「代わりになるエネルギーは？」という代替案の話に終始しがちです。

たとえば、日本の政治家が「脱炭素社会の実現」について話し合うと、だいたい「原発再稼働」か「再生可能エネルギー」の議論になります。そんな議論を耳にする度に、

「日本の政治家は、インテリジェンスがないな……」

と私は悲しくなります。20～21ページでも記しましたが、エネルギー問題で最初に議論すべきことは常に「省エネ」であり、すぐに代替エネルギーの話を持ち出すのはナンセンスです。

つまり、**「使う」ことばかりを考えるのではなく、「使わない」ことを考えることこそがインテリジェンス**であることを忘れてはなりません。

賢者の節電も然りです。

自らの暮らしを振り返り、「使えるけど使わない」「できるけどやらない」という意識を持ちながら、「生活をミニマムにスマート化」する方法を実践し続けることが大切です。

電気使用量削減目標90%

OFF

1日5分「瞑想《めいそう》」や「祈り」の時間を過ごす

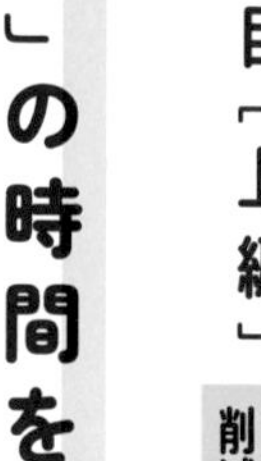

みなさんは、「瞑想」や「祈り」をする習慣を持っているでしょうか？

私は毎日、瞑想する時間、祈りを捧げる時間を欠かしません。また、日々ヨガをおこない、趣味ではサーフィンも楽しんでいます。私はヨガとサーフィンに対して、瞑想や祈りと同じ意味があるものだと感じています。

私にとって**瞑想や祈りとは、心を静めて無心となり、自然と一体化すること**です。また、**自分が自然の中で生かされている小さな存在であることを再確認する時間**でもあります。

すべてのエネルギーは、地球に暮らす全人類、全生物、全植物のものです。さらに言えば、未来の全人類、全生物、全植物のものでもあります。決して奪い合うものではなく、譲り合い、分かち合うものです。**他者への愛なくして、エネルギー問題は解決しません。**

瞑想や祈りによって、自らが自然の一部であることを感じ、悟ることはとても重要です。

太陽光発電は、自然の息吹をそのまま電気に変えるシステムです。曇りがちな天気や雨が続きそうな気配を感じれば、おのずと節電し、よりいっそう電気を大切に、大事に使う気持ちが生じるはずです。自然の力によって生かされていることに感謝しましょう。

【PRACTICE】節電チャレンジ31日目［上級］

電気使用量削減目標90%

OFF

オフグリッド生活を目指す

我が家では、**最大240ワットアワーの電力を生み出すソーラーパネル9枚を設置、3系統に分けて電気を流せるように構築**しています。バッテリーは高価なわりに事故の多い**リチウムイオンバッテリーではなく、安全性が高い鉛《なまり》バッテリー（ディープサイクルバッテリー）を採用し、それも廃棄されたものをリビルト（再生）、リユース（再使用）**しています。

合計12〜24個のバッテリーを備えており、最長6日間は充電せずに生活できます。

もし、オフグリッドを望まれるのであれば、ミニマムな太陽光発電システムの導入から、我が家のようになるまで、次のような段階を踏んで実現を目指すことをおすすめします。

ステップ1　ミニマムな太陽光発電システムを導入する

ステップ2　太陽光発電の比重を上げ、電力会社からの消費電力量を徐々に減らす

ステップ3　太陽光発電で全電力をまかない、電力会社からの電気は保険用にする

ステップ4　電力会社の配電網から独立してオフグリッドにする

オフグリッド化する最大のメリットは、**自給した限りあるエネルギーに生活様式を合わせて生きていく思想を体現でき、電力会社から完全に自由になれる**ことにあります。

木村 俊雄（きむら としお）

1964年秋田県生まれ。元東京電力福島第一原発エンジニア。東電学園高等部を卒業後、東京電力に入社。福島第一原子力発電所では、原子炉の設計・管理やプラントの運転管理、各種調査などを長きにわたって担当する。

在職中に原発の危険性に気づき、2000年に退職するとともに反原発運動の旗手となる。「福島第一原発事故を予見した唯一の人物」として、国内外のメディアに注目される。

東日本大震災後に福島県から高知県に移住。オフグリッド生活を続けながら、エネルギー問題への考察を積み重ねている。著書に『電気がなくても、人は死なない。』（洋泉社）、『原発亡国論』（駒草出版）がある。

Special Thanks to :

プロデュース・編集　西田 貴史（manic）

マンガ・キャラクター＆ P17 発電機イラスト　micano

イラスト　P15　火力発電所、ガスタンク　FUTO / PIXTA（ピクスタ）／ P15　プロパンガス輸送車　pbox / PIXTA（ピクスタ）／ P17　電気ポッド　あねも優 / PIXTA（ピクスタ）／ P19　電球　Tartila / PIXTA（ピクスタ）／ P19　家電　あねも優 / PIXTA（ピクスタ）／ P23　太陽光発電の家　鮎太朗パパ / PIXTA（ピクスタ）／ P31-P32　テレビ・リモコン　あねも優 / PIXTA（ピクスタ）／ P33　コンセント　natsumi / PIXTA（ピクスタ）／ P33　テレビ　あねも優 / PIXTA（ピクスタ）／ P35　ルーター　Icon Stock / PIXTA（ピクスタ）／ P36　シャワートイレ　Kayocci / PIXTA（ピクスタ）／ P39　節電タップ　R-DESIGN / PIXTA（ピクスタ）／ P40　危険な節電タップ　阿部モノ / PIXTA（ピクスタ）／ P41　危険な節電タップ　impact / PIXTA（ピクスタ）／ P43　電球　Tartila / PIXTA（ピクスタ）／ P44　丸型蛍光灯　nisi / PIXTA（ピクスタ）／ P44　冷蔵庫　あねも優 / PIXTA（ピクスタ）／ P47-P49　ほうき　KUNI TV / PIXTA（ピクスタ）／ P51　貯金箱　わかし / PIXTA（ピクスタ）／ P52　T シャツ　vectorpocket / PIXTA（ピクスタ）／ P52　洗濯機　あねも優 / PIXTA（ピクスタ）／ P55　冷蔵庫　あねも優 / PIXTA（ピクスタ）／ P59　冷蔵庫　あねも優 / PIXTA（ピクスタ）／ P63　家電　あねも優 / PIXTA（ピクスタ）／ P65　コンセント　natsumi / PIXTA（ピクスタ）／ P65　テレビ　あねも優 / PIXTA（ピクスタ）／ P67　太陽光発電の家　鮎太朗パパ / PIXTA（ピクスタ）／ P71　電気ポット　あねも優 / PIXTA（ピクスタ）／ P72　電気ポット　あねも優 / PIXTA（ピクスタ）／ P73　電気ポット　あねも優 / PIXTA（ピクスタ）／ P75　電気炊飯器　あねも優 / PIXTA（ピクスタ）／ P75-P77　土鍋炊き　ろじ / PIXTA（ピクスタ）

みんなの節電生活《せつでんせいかつ》

2023年(令和5年) 4月12日　初版第1刷発行

著　者　木村 俊雄
発行者　石井 悟
発行所　株式会社自由国民社
　　　　東京都豊島区高田 3-10-11 〒 171-0033　電話 03-6233-0781（代表）
造　本　ＪＫ
印刷所　株式会社光邦
製本所　新風製本株式会社